GIGI

COLETTE

DE L'ACADÉMIE GONCOURT

Gigi

ROMAN

HACHETTE

GIGI

— N'oublie pas que tu vas chez tante Alicia. Tu m'entends, Gilberte? Viens que je te roule tes papillotes. Tu m'entends, Gilberte?

— Je ne pourrais pas y aller sans papillotes, grand-mère?

— Je ne le pense pas, dit avec modération Mme Alvarez.

Elle posa, sur la flamme bleue d'une lampe à alcool, le vieux fer à papillotes dont les branches se terminaient par deux petits hémisphères de métal massif, et prépara les papiers de soie.

— Grand-mère, si tu me faisais un cran d'ondulation sur le côté pour changer?

— Il n'en est pas question. Des boucles à l'extrémité des cheveux, c'est le maximum d'excentricité pour une jeune fille de ton âge. Mets-toi sur le banc-de-pied.

Gilberte plia, pour s'asseoir sur le banc, ses jambes héronnières de quinze ans. Sa jupe écossaise découvrit ses bas de fil à côtes jusqu'au-delà de ses genoux, dont la rotule ovale, sans qu'elle s'en doutât, était la perfection même Peu de mollet, la voûte du pied haute, de tels avantages conduisaient Mme Alvarez à regretter que sa petite-fille n'eût pas travaillé la danse. Pour l'instant, elle n'y songeait

pas. Elle pinçait à plat, entre les demi-boules du fer chaud,
les mèches blond cendré, tournées en rond et emprisonnées
dans le papier fin. Sa patience, l'adresse de ses mains
douillettes assemblaient en grosses boucles dansantes et
élastiques l'épaisseur magnifique d'une chevelure soignée,
qui ne dépassait guère les épaules de Gilberte. L'odeur
vaguement vanillée du papier fin, celle du fer chauffé
engourdissaient la fillette immobile. Aussi bien, Gilberte
savait que toute résistance serait vaine. Elle ne cherchait
presque jamais à échapper à la modération familiale.

— C'est *Frasquita*, que maman chante aujourd'hui?

— Oui. Et ce soir *Si j'étais Roi*. Je t'ai dit déjà que quand
tu es assise sur un siège bas, tu dois rapprocher tes genoux
l'un de l'autre, et les plier ensemble soit à droite, soit à
gauche, pour éviter l'indécence.

— Mais, grand-mère, j'ai un pantalon et mon jupon de
dessous.

— Le pantalon est une chose, la décence en est une autre,
dit Mme Alvarez. Tout est dans l'attitude.

— Je le sais, tante Alicia me l'a assez répété, murmura
Gilberte sous son toit de cheveux.

— Je n'ai pas besoin de ma sœur, dit aigrement
Mme Alvarez, pour t'inculquer des principes de convenances
élémentaires. Là-dessus, Dieu merci, j'en sais un
peu plus qu'elle.

— Si tu me gardais ici, grand-mère, j'irais voir tante
Alicia dimanche prochain?

— Vraiment! dit Mme Alvarez avec hauteur. Tu n'as
pas d'autre *sujétion* à me faire?

— Si, dit Gilberte. Qu'on me fasse des jupes un peu plus
longues, que je ne sois pas tout le temps pliée en Z, dès
que je m'assois. Tu comprends, grand-mère, tout le temps

il faut que je pense à mon ce-que-je-pense, avec mes jupes trop courtes.

— Silence! Tu n'as pas honte d'appeler ça ton ce-que-je-pense?

— Je ne demande pas mieux que de lui donner un autre nom, moi...

Mme Alvarez éteignit le réchaud, mira dans la glace de la cheminée sa lourde figure espagnole, et décida :

— Il n'y en a pas d'autre.

De dessous la rangée d'escargots blond cendré jaillit un regard incrédule, d'un beau bleu foncé d'ardoise mouillée, et Gilberte se déplia d'un bond :

— Mais, grand-mère, tout de même, regarde, on me ferait mes jupes une main plus longues... Ou bien on me rajouterait un petit volant...

— Voilà qui serait agréable à ta mère, de se voir à la tête d'une grande cavale qui paraîtrait au moins dix-huit ans! Avec sa carrière! Raisonne un peu!

— Oh! je raisonne, dit Gilberte. Puisque je ne sors presque jamais avec maman, quelle importance ça aurait-il?

Elle rajusta sa jupe qui remontait sur son ventre creux, et demanda :

— Je mets mon manteau de tous les jours? C'est bien assez bon.

— A quoi saurait-on que c'est dimanche, alors? Mets ton manteau uni et ton canotier bleu marine. Quand auras-tu le sens de ce qui convient?

Debout, Gilberte était aussi haute que sa grand-mère. A porter le nom espagnol d'un amant défunt, Mme Alvarez avait acquis une pâleur beurrée, de l'embonpoint, des cheveux lustrés à la brillantine. Elle usait de poudre trop blanche, le poids de ses joues lui tirait un peu la paupière inférieure,

si bien qu'elle avait fini par se prénommer Inès. Autour
d'elle gravitait en bon ordre sa famille irrégulière. Andrée,
sa fille célibataire, abandonnée par le père de Gilberte,
préférait maintenant à une prospérité capricieuse la sage vie
des secondes chanteuses, dans un théâtre subventionné.
Tante Alicia — on n'avait jamais entendu dire que quelqu'un
lui eût parlé mariage — vivait seule, de rentes qu'elle
disait modestes, et la famille faisait grand cas du jugement
d'Alicia comme de ses bijoux.

Mme Alvarez toisa sa petite-fille, du canotier en feutre
orné d'une plume-couteau, jusqu'aux souliers molière de
confection.

— Tu ne peux donc pas rassembler tes jambes? Quand
tu te tiens comme ça, la Seine te passerait dessous. Tu n'as
pas l'ombre de ventre et tu trouves le moyen de pousser
le ventre en avant. Et gante-toi, je te prie.

L'indifférence des enfants chastes gouvernait encore toutes
les attitudes de Gilberte. Elle avait l'air d'un archer, elle
avait l'air d'un ange raide, d'un garçon en jupes, elle avait
rarement l'air d'une jeune fille. " Te mettre des robes longues,
toi qui n'as pas la raison d'un enfant de huit ans? " disait
Mme Alvarez. " Gilberte me décourage ", soupirait
Andrée. " Si tu ne te décourageais pas pour moi, tu te
découragerais pour autre chose ", repartait paisiblement
Gilberte. Car elle était douce et s'accommodait d'une vie
casanière, presque exclusivement familiale. Pour son
visage, personne n'en prédisait rien encore. Une grande
bouche que le rire ouvrait sur des dents d'un blanc massif
et neuf, le menton court, et entre des pommettes hautes un
nez... " Mon Dieu, où a-t-elle pris cette petite truffe? "
soupirait sa mère. — Ma fille, si tu n'en sais rien, qui le
saura? " répliquait Mme Alvarez. Sur quoi Andrée, prude

trop tard, fatiguée trop tôt, gardait le silence, tâtait machinalement ses amygdales sensibles. " Gigi, assurait tante Alicia, c'est un lot de matières premières. Ça peut s'agencer très bien comme ça peut tourner très mal. "

— Grand-mère, on a sonné, je vais ouvrir en m'en allant... Grand-mère, cria-t-elle dans le couloir, c'est tonton Gaston!

Elle revint, accompagnée d'un long homme jeune qu'elle tenait bras sur bras en lui parlant d'un air de cérémonie et d'enfantillage, comme font les écolières en récréation.

— Quel dommage, tonton, de vous quitter si vite! Grand-mère veut que j'aille voir tante Alicia! Quelle voiture vous avez aujourd'hui? C'est votre nouvelle de Dion-Bouton quatre-places-décapotable? Il paraît qu'on peut la conduire d'une seule main! J'espère, tonton, que vous en avez, de beaux gants! Alors, tonton, vous êtes fâché avec Liane?

— Gilberte? ça te regarde? blâma Mme Alvarez.

— Mais, grand-mère, tout le monde le sait. C'était dans le *Gil Blas*, ça commençait par : *Une secrète amertume se glisse dans le produit sucré de la betterave...* Au cours supplémentaire, elles m'en ont toutes parlé, parce qu'elles savent que je vous connais. Et vous savez, tonton, on ne lui donne pas raison, à Liane, au cours supplémentaire! On dit qu'elle n'a pas le beau rôle!

— Gilberte! répéta Mme Alvarez. Dis au revoir à M. Lachaille et disparais!

— Laissez-la, cette petite, soupira Gaston Lachaille. Elle n'y met pas de malice, elle, au moins. Et c'est parfaitement vrai que tout est fini entre Liane et moi. Tu vas chez tante Alicia, Gigi? Prends mon auto et renvoie-la-moi.

Gilberte fit un cri, un saut de joie, embrassa Lachaille.

— Merci, tonton! Non, la tête de tante Alicia! La bobine de la concierge!

Elle partit, avec autant de bruit qu'un poulain non ferré.

— Vous la gâtez, Gaston, dit Mme Alvarez.

En quoi elle parlait contre la vérité. Gaston Lachaille ne connaissait de " gâteries " et de fastes que réglementaires : ses automobiles, son morne hôtel sur le parc Monceau, les " mois " de Liane et ses bijoux d'anniversaire, le champagne et le baccara à Deauville l'été, à Monte-Carlo l'hiver. De temps en temps, il laissait tomber sur une souscription un gros don en espèces, achetait un yacht qu'il revendait peu après à un monarque d'Europe centrale, commanditait un journal neuf, mais ne s'en trouvait pas plus gai. En se regardant dans la glace, il disait : " Voilà le facies d'un homme estampé. " Comme il avait le nez un peu long et de grands yeux noirs, le commun des mortels le croyait grugé.

Son instinct commercial et sa défiance d'homme riche le gardaient bien, personne n'avait réussi à lui voler ses perles de chemise, ses étuis à cigarettes en métaux massifs cloutés de pierreries, ni sa pelisse doublée de sombres zibelines.

Par la fenêtre, il regarda démarrer sa voiture. Cette année-là, les automobiles se portaient hautes et légèrement évasées, à cause des chapeaux démesurés qu'imposaient Caroline Otero, Liane de Pougy et d'autres personnes, notoires en 1899. Aussi les voitures versaient-elles mollement dans les virages.

— Mamita, dit Gaston Lachaille, vous ne me feriez pas une camomille?

— Plutôt deux qu'une, dit Mme Alvarez. Asseyez-vous, mon pauvre Gaston.

D'un fauteuil affaissé elle retira des illustrés concaves,

un bas à remmailler, une boîte de réglisses dits *agents de change*. L'homme trahi se laissa glisser avec délices, pendant que l'hôtesse disposait le plateau et les deux tasses.

— Pourquoi la camomille qu'on me fait chez moi sent-elle toujours le vieux chrysanthème? soupira Gaston.

— Affaire de soin. Vous me croirez si vous voulez, Gaston, bien des fois je cueille ma meilleure camomille à Paris même, dans des terrains vagues, une camomille toute petite qui n'a pas d'aspect. Mais elle a un goût *exquis*. Mon Dieu, que votre complet est donc d'une belle étoffe! C'est distingué au possible, cette rayure fondue. Voilà une étoffe comme votre pauvre père les aimait. Mais il les portait, je dois dire, avec moins de chic que vous.

Mme Alvarez n'évoquait qu'une fois par entretien la mémoire d'un Lachaille le père, qu'elle assurait avoir beaucoup connu. De ses relations anciennes, vraies ou fausses, elle ne retirait guère d'autre avantage que la familiarité de Gaston Lachaille et le plaisir de pauvre que goûtait l'homme fortuné à ses haltes dans le vieux fauteuil. Sous un plafond terni par le gaz, trois créatures féminines ne lui réclamaient ni colliers de perles, ni solitaires, ni chinchillas, et savaient parler avec décence et considération de ce qui était scandaleux, vénérable et inaccessible. Dès sa douzième année, Gigi savait que le gros rang de perles noires de Mme Otero était " trempé ", c'est-à-dire teint artificiellement, mais que son collier à trois rangs étagés valait " un royaume "; que les sept rangs de Mme de Pougy manquaient d'animation, que le fameux boléro en diamants d'Eugénie Fougère c'était trois fois rien, et qu'une femme qui se respecte ne se balade pas, comme Mme Antokolski, dans un coupé doublé de satin mauve. Elle avait docilement rompu avec sa camarade de cours Lydia Poret, lorsque celle-ci lui avait montré un solitaire monté en bague, don du baron Ephraïm.

— Un solitaire! s'était écriée Mme Alvarez. Une fille de quinze ans! Je pense que sa mère est folle.

— Mais, grand-mère, plaidait Gigi, ce n'est pas sa faute à Lydia, si le baron le lui a donné!

— Silence! Ce n'est pas le baron que je blâme. Le baron sait ce qu'il a à faire. Le simple bon sens exigeait que la mère Poret mette la bague dans un coffre à la banque, en attendant.

— En attendant quoi, grand-mère?

— Les événements.

— Pourquoi pas dans sa boîte à bijoux?

— Parce qu'on ne sait jamais. Surtout que le baron est un homme à se raviser. Mais s'il s'est bien déclaré, Mme Poret n'a qu'à retirer sa fille du cours. Jusqu'à ce que tout ça soit tiré au clair, tu me feras le plaisir de ne plus faire tes deux trajets avec cette petite Poret. A-t-on idée!

— Mais si elle se marie, grand-mère?

— Se marier? Avec qui, se marier?

— Avec le baron?

Mme Alvarez et sa fille échangèrent un regard de stupeur. " Cette enfant me décourage, avait murmuré Andrée. Elle tombe d'une autre planète. "

— Alors, mon pauvre Gaston, dit Mme Alvarez, c'est donc bien vrai, cette brouille? D'un sens, pour vous, c'est peut-être mieux. Mais d'un autre sens, je conçois que vous en ayez de l'ennui. A qui se fier, je vous le demande...

Le pauvre Gaston l'écoutait en buvant sa camomille brûlante. Il y goûtait autant de réconfort qu'à regarder la rosace enfumée de la suspension " mise à l'électricité ", mais fidèle à sa vaste cloche vert nil. Le contenu d'une corbeille à ouvrage se déversait à demi sur la table à manger, où Gilberte oubliait ses cahiers. Au-dessus du piano droit, un agrandissement photographique d'après Gilberte, âgée de huit mois, faisait pendant au portrait à l'huile d'Andrée, dans un rôle de *Si j'étais Roi...* Un désordre sans vilenie, un rais de soleil printanier dans la guipure des rideaux, une chaleur rampante venue de la salamandre entretenue à petit feu, agissaient comme autant de philtres sur les nerfs de l'homme riche, solitaire et trompé.

— Est-ce que vous êtes positivement dans la peine, mon pauvre Gaston?

— A proprement parler, je ne suis pas dans la peine, je suis plutôt dans l'em..., enfin dans l'ennui.

— Si je ne suis pas indiscrète, reprit Mme Alvarez, comment ça vous est-il arrivé? J'ai bien lu les journaux; mais peut-on se fier à eux?

Lachaille tira sur sa petite moustache relevée au fer, peigna de ses doigts sa grosse chevelure taillée en brosse.

— Oh! la même chose à peu près que les autres fois... Elle a attendu son cadeau d'anniversaire, et puis elle s'est trottée. Maladroite, avec ça, au point qu'elle est allée se fourrer dans un coin de Normandie tellement petit... Ça n'a pas été sorcier de découvrir qu'il n'y avait que deux chambres à l'auberge, une occupée par Liane, l'autre par Sandomir, un professeur de patinage au Palais de Glace.

— C'en est un qui fait valser Polaire au *five o'clock*, n'est-ce pas? Ah! les femmes ne savent plus garder les distances aujourd'hui. Et juste après son anniversaire... Ah! ce n'est pas délicat... C'est même tout ce qu'il y a d'incorrect.

Mme Alvarez tournait sa cuiller dans la tasse, le petit doigt en l'air. Quand elle baissait le regard, ses paupières ne couvraient pas tout à fait les globes bombés de ses yeux, et sa ressemblance avec George Sand devenait évidente.

— Je lui avais donné un rang, dit Gaston Lachaille. Mais ce qui s'appelle un rang. Trente-sept perles. Celle du centre était comme mon pouce.

Il avança son pouce blanc et soigné, auquel Mme Alvarez manifesta l'admiration due à une perle du centre.

— Vous faites les choses en homme qui sait vivre, dit-elle. Vous avez le beau rôle, Gaston.

— J'ai le rôle de cocu, oui.

Mme Alvarez ne parut pas l'entendre.

— Je serais que de vous, Gaston, je chercherais à la vexer. Je prendrais une femme du monde.

— Merci du remède, dit Lachaille, qui mangeait distraitement les *agents de change*.

— Je me suis laissé dire en effet qu'il est quelquefois pire que le mal, appuya discrètement Mme Alvarez. C'est changer son cheval borgne contre un aveugle.

Puis elle respecta le silence de Gaston Lachaille. Un son étouffé de piano traversait le plafond. Sans parler, le visiteur tendit sa tasse vide, que remplit Mme Alvarez.

— Tout va bien dans la famille? Quelles nouvelles de tante Alicia?

— Ma sœur, vous savez, elle est toujours la même. Très fermée, très en dessous. Elle dit qu'elle aime mieux vivre sur un beau passé que sur un vilain présent. Son roi d'Espagne, son Milan, son khédive, des rajahs par paquets de six. A l'en croire! Elle est gentille avec Gigi. Elle la trouve comme de juste un peu en retard, et elle la fait travailler. Ainsi la semaine passée elle lui a appris à manger d'une manière convenable le homard à l'américaine.

— Pourquoi faire?

— Alicia dit que c'est excessivement utile. Elle dit que les trois pierres d'achoppement, dans une éducation, c'est le homard à l'américaine, l'œuf à la coque et les asperges. Elle dit que le manque d'élégance en mangeant a brouillé bien des ménages.

— Ça s'est vu, dit Lachaille rêveur... Ça s'est vu.

— Oh! Alicia n'est jamais bête... Gigi, elle, ça fait son affaire, elle est si gourmande! Si elle avait la tête aussi active que les mâchoires! Mais elle est comme une enfant de dix ans. Et vous avez de beaux projets pour la fête des Fleurs? Vous comptez encore une fois nous éblouir?

— Fichtre non, grogna Gaston. Je vais profiter de mes malheurs pour faire des économies de roses rouges, cette année.

Mme Alvarez joignit les mains.

— Oh! Gaston, vous n'allez pas faire ça! Sans vous le défilé aurait l'air en deuil!

— Il aura l'air de ce qu'il voudra, dit sombrement Gaston.

— Vous laisseriez la bannière brodée à des Valérie Cheniaguine? Ah! Gaston, on ne verra pas ça!

— On le verra, dit Gaston. Valérie a les moyens.

— Surtout qu'elle ne s'y ruine pas! Gaston, l'an dernier, ses dix mille bouquets à jeter, vous savez d'où ils venaient? Elle avait embauché trois femmes pendant deux jours et deux nuits pour ficeler, et les fleurs étaient achetées aux Halles! Aux Halles! Il y avait juste les quatre roues, le fouet du cocher et les harnais qui étaient signés Lachaume.

— Je retiens le truc, dit Lachaille égayé. Tiens, j'ai mangé tous les réglisses!

Le pas martelé de Gilberte sonna militairement dans l'antichambre.

— Déjà toi? dit Mme Alvarez. Qu'est-ce que ça signifie?

— Ça signifie, dit la petite, que tante Alicia était mal en train. L'essentiel, c'est que je me suis promenée dans le teuf-teuf à tonton.

Sa bouche se fendit sur ses dents qui brillèrent :

— Vous savez, tonton, pendant que j'étais dans votre auto, je faisais une tête de martyre, comme ça, pour avoir l'air blasée sur tous les luxes. Je me suis bien amusée.

Elle jeta au loin son chapeau, ses cheveux empiétèrent sur ses tempes et ses joues.

Elle s'assit sur un tabouret assez haut et remonta ses genoux jusqu'à son menton.

— Alors, tonton? Vous avez l'air cauchemardé. Vous voulez que je vous fasse un piquet? C'est dimanche, maman ne revient pas entre la matinée et la soirée. Qui c'est qui m'a mangé tous mes réglisses? Ah! tonton, ça ne va plus aller nous deux! Vous me les remplacerez, au moins?

— Gilberte, de la tenue! gronda Mme Alvarez. Descends tes genoux. Tu crois que Gaston a le temps de s'occuper de tes réglisses? Tire ta jupe. Gaston, voulez-vous que je la renvoie dans sa chambre?

Le fils Lachaille, les yeux sur le jeu de cartes usagé que maniait Gilberte, luttait contre une terrible envie de pleurer un peu, de raconter ses malheurs, de s'endormir dans le vieux fauteuil, et de jouer au piquet.

— Laissez-la, cette petite. Ici, je respire. Je me repose... Gigi, je te joue dix kilos de sucre.

— C'est guère appétissant, votre sucre. J'aime mieux des bonbons.

— C'est la même chose. Et le sucre est plus sain que les bonbons.

— Vous le dites parce que c'est vous qui le fabriquez.

— Gilberte, tu perds le respect!

Les yeux désolés de Gaston Lachaille sourirent :

— Laissez-la dire, Mamita... Et si je perds, Gigi, qu'est-ce que tu veux? Des bas de soie?

La grosse bouche enfantine de Gilberte s'attrista :

— Les bas de soie, ça me donne des démangeaisons. J'aimerais mieux....

Elle leva vers le plafond sa figure d'ange camard, pencha la tête, versa d'une joue sur l'autre joue les boucles de ses cheveux :

— J'aimerais mieux un corset Perséphone vert nil avec les jarretelles brodées en roses rococo... Non, plutôt un rouleau à musique.

— Tu travailles la musique?

— Non, mais mes camarades du cours supérieur mettent leurs cahiers dans des rouleaux à musique parce que ça fait élève du Conservatoire.

— Gilberte, tu frises l'indiscrétion, dit Madame Alvarez.

— Tu auras ton rouleau et tes réglisses. Coupe, Gigi.

L'instant d'après, le fils Lachaille-les-sucres disputait ardemment les enjeux. Son nez important qui sonnait le creux, ses yeux un peu nègres n'intimidaient pas sa partenaire qui, accoudée, les épaules au niveau des oreilles, le bleu des yeux et le rouge des joues exaspérés, ressemblait à un page saoul. Tous deux jouaient passionnément et à petit bruit, échangeaient des injures sourdes. " Grande araignée, oseille en graine ", disait Lachaille. " Nez de corbeau ", repartait la petite. Le crépuscule de mars descendit sur la rue étroite.

— Ce n'est pas pour vous faire fuir, Gaston, dit Mme Alvarez, mais il est sept heures et demie. Vous permettez que j'aille un instant voir à notre dîner?

— Sept heures et demie! s'écria Lachaille, et moi qui

dîne chez Larue avec de Dion, Feydeau et un Barthou! Le dernier tour, Gigi.

— Pourquoi un Barthou? demanda Gilberte. Il y en a plusieurs, des Barthous?

— Deux. Un qui est joli garçon et l'autre qui l'est moins. Le plus connu, c'est le moins joli garçon.

— Ce n'est pas juste dit Gilberte. Et Feydeau qu'est-ce que c'est?

Lachaille, de stupeur, déposa ses cartes.

— Ça, par exemple!... Elle ne connaît pas Feydeau! Tu ne vas donc jamais au théâtre?

— Presque jamais, tonton.

— Tu n'aimes pas le théâtre?

— Pas follement. Et grand-mère et tante Alicia disent que le théâtre empêche de penser au sérieux de la vie. Ne redites pas à grand-mère que je vous l'ai dit.

Elle souleva sur ses oreilles le flot de ses cheveux, et les laissa retomber en soufflant : " Phou! ce que ça me tient chaud, cette fourrure! "

— Et qu'est-ce qu'elles appellent le sérieux de la vie?

— Oh! je ne le sais pas par cœur, tonton Gaston. Et elles ne sont pas toujours d'accord là-dessus. Grand-mère me dit : " Défense de lire des romans, ça donne le cafard. Défense de mettre de la poudre, ça gâte le teint. Défense de porter un corset, ça gâte la taille; défense de s'arrêter seule aux vitrines des magasins... Défense de connaître les familles des camarades de cours, surtout les pères qui viennent chercher leurs filles à la sortie du cours... "

Elle parlait vite, en respirant entre les mots comme les enfants qui ont couru.

— Là-dessus, voilà tante Alicia qui y va d'un autre son de cloche! Et j'ai passé l'âge du corset-brassière, et je dois prendre des leçons de danse et de maintien, et je dois me tenir au courant et savoir ce que c'est qu'un carat, et ne pas m'en laisser mettre plein la vue par le chic des artistes. " C'est bien simple, qu'elle me dit : de toutes les robes que tu vois sur la scène, il n'y en a pas une sur vingt qui ne serait pas ridicule au pesage... " Enfin, j'en ai la tête qui éclate... Qu'est-ce que vous mangerez ce soir chez Larue, tonton?

— Est-ce que je sais! Des filets de soles aux moules, pour changer. Et une selle d'agneau aux truffes, naturellement... Grouille, Gigi. J'ai cinq cartes.

— Et vous tombez sur un bec de gaz. J'ai un jeu de voleur. Ici, on mangera le reste du cassoulet réchauffé. J'aime bien le cassoulet.

— C'est simplement du cassoulet aux couennes, dit avec modestie Inès Alvarez qui rentrait. L'oie n'était pas abordable, cette semaine.

— Je vous en ferai envoyer une, de Bon-Abri, dit Gaston.

— Merci beaucoup, Gaston. Gigi, aide M. Lachaille à passer son pardessus. Donne-lui sa canne et son chapeau.

Quand Lachaille partit maussade, flairant et regrettant le cassoulet réchauffé, Mme Alvarez se tourna vers sa petite-fille.

— Veux-tu me dire, Gilberte, pourquoi tu es revenue si tôt de chez tante Alicia? Je ne te l'ai pas demandé devant Gaston parce qu'il ne faut jamais agiter des questions de famille devant un tiers, souviens-t'en.

— C'est pas sorcier, grand-mère. Tante Alicia avait sa petite dentelle sur la tête en signe de migraine. Elle me dit : " Ça ne va pas. " Je lui dis : " Oh! alors je ne veux pas te fatiguer, je retourne chez nous. " Elle me dit : " Repose-toi cinq minutes. — Oh! je lui dis, je ne suis pas fatiguée, je

suis venue en voiture. — En voiture! " elle me dit, en levant
ses mains comme ça. J'avais gardé l'auto deux minutes pour
la montrer à tante Alicia, tu penses. "Oui, je lui dis, la
de-Dion-Bouton-quatre-places-décapotable que tonton m'a
prêtée pendant qu'il est chez nous. Il est fâché avec Liane.
— A qui crois-tu donc parler? qu'elle me fait. Je ne suis pas
encore au tombeau pour ignorer les choses qui sont de
notoriété publique. Je le sais, qu'il est fâché avec ce grand
candélabre. Eh bien, retourne chez vous, au lieu de t'ennuyer
avec une pauvre vieille femme malade comme moi. " Elle
m'a fait au revoir par la fenêtre quand je suis montée en
voiture.

Mme Alvarez pinçait la bouche :

— Une pauvre vieille femme malade! Elle qui n'a seulement jamais été enrhumée de sa vie! Quel front! Quel...

— Grand-mère, tu crois qu'il y pensera, à mes réglisses
et à mon rouleau?

Mme Alvarez leva vers le plafond son regard lent et
lourd.

— Peut-être, mon enfant, peut-être.

— Mais puisqu'il a perdu, il me les doit?

— Oui. Oui, il te les doit. Peut-être les auras-tu tout de
même. Passe ton tablier et mets le couvert. Range tes cartes.

— Oui, grand-mère... Grand-mère, qu'est-ce qu'il t'a
dit de Mme Liane? C'est vrai qu'elle s'est carapatée avec
Sandomir et le collier?

— D'abord on ne dit pas " s'est carapatée ". Ensuite
viens que je serre ton catogan, pour que tu ne trempes pas
tes boucles dans ton potage. Et troisièmement tu n'as pas à
connaître les faits et gestes d'une personne qui a agi contrairement au savoir-vivre. Ce sont des histoires intimes de
Gaston.

— Mais, grand-mère, elles ne sont pas intimes puisque tout le monde en parle et que c'est dans le *Gil Blas*.

— Silence! Qu'il te suffise de savoir que la conduite de Mme Liane d'Exelmans a été à rebours du sens commun. Le jambon pour ta mère est entre deux assiettes, tu le laisseras au frais.

Gilberte dormait lorsque sa mère — Andrée Alvar, en petits caractères, sur les affiches de l'Opéra-Comique — rentra. Mme Alvarez mère, attablée à une patience, lui demanda par habitude si elle n'était pas trop fatiguée. Pour obéir aux us de la politesse familiale, Andrée lui reprocha d'avoir veillé pour l'attendre, et Mme Alvarez répliqua rituellement :

— Je ne dormirais pas tranquille si je ne te savais pas rentrée. Il y a du jambon, et un petit bol de cassoulet chaud. Et des pruneaux cuits. La bière est sur la fenêtre.

— La petite est couchée?

— Bien entendu.

Andrée Alvar mangea solidement, en témoignant d'un appétit pessimiste.

Les fards la rendaient encore plus jolie; mais démaquillée, elle avait le bord des yeux rose et la bouche décolorée. Aussi tante Alicia affirmait-elle que les succès d'Andrée sur la scène ne la suivaient pas à la ville.

— Tu as bien chanté, ma fille?

Andrée haussa les épaules.

— Oui, j'ai bien chanté. Ça m'avance à quoi? Il n'y en a que pour Tiphaine, tu penses bien. Ah! là là... Comment est-ce que je supporte une vie pareille.

— Tu l'as choisie. Mais tu la supporterais mieux, dit sentencieusement Mme Alvarez, si tu avais quelqu'un. C'est ta solitude qui te remonte dans les nerfs, et qui te fait voir tout en noir. Tu es anormale.

— Oh! maman, ne recommençons pas, je suis déjà bien assez fatiguée... Qu'est-ce qu'il y a de nouveau?

— Rien. On ne parle que de la rupture de Gaston avec Liane.

— Je te crois qu'on en parle, jusque sur le plateau de l'Opéra-Comique, qui n'est pourtant guère moderne.

— C'est un événement mondial, dit Mme Alvarez.

— Est-ce qu'il y a déjà des pronostics?

— Tu n'y penses pas! C'est trop récent. Il est en pleine désolation. Crois-tu qu'à huit heures moins le quart, il était assis là où tu es, en train de faire un piquet avec Gigi? Il dit qu'il ne veut pas aller à la fête des Fleurs.

— Non?

— Si. S'il n'y va pas, ce sera universellement remarqué. Je lui ai conseillé de réfléchir avant de prendre une décision pareille.

— Au théâtre, dit Andrée, ils disaient qu'une artiste de music-hall aurait des chances, une nommée la Cobra, de l'Olympia. Il paraît qu'elle fait un numéro d'acrobatie où on l'apporte sur la scène dans un panier pas plus grand que pour un fox-terrier, et elle en sort en se déroulant comme un serpent.

Mme Alvarez avança par dédain sa large lèvre inférieure :

— Gaston Lachaille n'en est tout de même pas aux artistes de music-hall. Rends-lui cette justice qu'il s'est toujours tenu, comme doit le faire un célibataire de sa situation, aux grandes demi-mondaines.

— De belles vaches, murmura Andrée.

— Mesure tes paroles, ma fille. D'appeler les choses et les personnes par leur nom, ça n'a jamais avancé à rien. Les

maîtresses de Gaston avaient de la branche. Une liaison avec
une grande demi-mondaine, c'est la seule manière convenable
pour lui d'attendre un grand mariage, à supposer qu'il se
marie un jour. En tout cas, nous sommes aux premières
loges pour être informées quand il y aura du nouveau.
Gaston a une telle confiance en moi! Je voudrais que tu l'aies
vu me demander une camomille... Un enfant, un véritable
enfant. D'ailleurs, il n'a que trente-trois ans. Et quel poids
que cette fortune sur ses épaules!

Andrée cligna ses paupières roses avec ironie.

— Plains-le, maman, pendant que tu y es. Ce n'est pas
pour réclamer, mais, depuis le temps que nous connaissons
Gaston, il ne t'a guère montré que sa confiance.

— Il ne nous doit rien. Et nous avons toujours eu par
lui du sucre pour nos confitures, et pour mon curaçao, de
temps en temps, et une volaille de ses fermes, et des atten-
tions pour la petite.

— Si tu es contente avec ça....

Mme Alvarez leva haut sa tête majestueuse :

— Parfaitement, je suis contente avec ça. D'autant
plus que si je ne l'étais pas, ça n'y changerait rien.

— En somme, pour nous, ce Gaston Lachaille, qui est
si riche, c'est comme s'il ne l'était pas. Si nous étions dans
le besoin, est-ce qu'il nous en tirerait, seulement?

Mme Alvarez posa sa main sur son cœur.

— J'en suis convaincue, dit-elle.

Elle réfléchit et ajouta :

— Mais j'aime mieux ne pas avoir à le lui demander.

Andrée reprit le *Journal*, qui donnait la photographie
de la délaissée :

— En la regardant bien, elle n'est pas extraordinaire.

— Si, repartit Mme Alvarez, elle est extraordinaire. **La**

preuve, c'est qu'elle a une renommée pareille. La renommée et les succès, ce n'est pas un effet du hasard. Tu raisonnes comme ces écervelées qui disent : "Moi, ça m'irait aussi bien qu'à Mme de Pougy, un collier à sept rangs. Et je mènerais parfaitement la grande vie aussi bien qu'elle." Ça me fait hausser les épaules. Emporte le reste de camomille pour baigner tes yeux.

— Merci, maman. La petite a été chez tante Alicia?

— Et dans la propre automobile de Gaston, encore. Il la lui a prêtée. Une voiture qui fait peut-être du soixante à l'heure! Elle était aux anges.

— Pauvre choute, je me demande ce qu'elle fera dans la vie. Elle est capable de finir mannequin, ou vendeuse. Elle est comme en retard. Moi, à son âge...

Mme Alvarez posa sur sa fille un regard lourd d'équité :

— Ne te vante pas trop de ce que tu faisais à son âge. Si mes souvenirs sont exacts, à son âge, tu disais zut à M. Mennesson, tout minotier qu'il était, tout disposé qu'il était à te faire ton sort, et tu t'en allais avec un petit professeur de solfège...

Andrée Alvar baisa les bandeaux brillantinés de sa mère :

— Ma petite maman, ne me maudis pas à cette heure-ci, j'ai tellement sommeil... Bonne nuit, maman. J'ai répétition à midi trois quarts, demain. Je mangerai à la crèmerie chaude, pendant la pause, ne t'inquiète pas de moi.

En bâillant longuement, elle traversa sans lumière la petite chambre où dormait sa fille. Elle n'entrevit de Gilberte, dans la pénombre, qu'un buisson de cheveux et le galon russe d'une chemise de nuit.

Elle s'enferma dans le cabinet de toilette exigu et, en dépit de l'heure avancée, alluma le gaz sous une bouillotte pleine d'eau. Car Mme Alvarez avait fortement inculqué à sa descendance, entre autres vertus, le respect de certains rites et de maximes telles que : " La figure, tu peux, à la rigueur, la remettre au lendemain matin, en cas d'urgence et de voyage. Tandis que le soin du bas du corps, c'est la dignité de la femme. "

Couchée la dernière, Mme Alvarez se levait la première et ne souffrait pas que la femme de ménage touchât au café matinal. Elle dormait dans la salle à manger-salon, sur le divan praticable, et ouvrait, la demie de sept heures sonnant, aux journaux, au litre de lait et à la femme de ménage, l'une portant les autres. A huit heures, elle avait déjà quitté ses épingles à onduler et lissé ses beaux bandeaux. A neuf heures moins dix, Gilberte partait pour son cours, nette et les cheveux brossés. A dix heures, Mme Alvarez " pensait " au déjeuner, c'est-à-dire qu'elle endossait son caoutchouc et, passant à son bras l'anse du filet, s'en allait au marché.

Ce jour-là, comme les autres jours, elle s'assura que Gilberte ne serait pas en retard, posa tout bouillants sur la table le pot de café et le pot de lait et déplia le journal en attendant Gilberte, qui entra fraîche, fleurant l'eau de lavande, encore un peu ensommeillée. Un cri de Mme Alvarez acheva de l'éveiller.

— Appelle ta mère, Gigi! Liane d'Exelmans s'est suicidée.

— Ooooh!... s'écria longuement la petite. Elle est morte?

— Que non! Elle connaît son affaire.

— Qu'est-ce qu'elle a pris, grand-mère? Un revolver?

Mme Alvarez regarda sa petite-fille d'un air de commisération :

— Tu n'y penses pas. Du laudanum, comme d'habitude : " *Sans pouvoir répondre encore des jours de la belle désespérée, les docteurs Morèze et Pelledoux, qui ne quittent pas son chevet, ont émis un diagnostic rassurant...* " Mon diagnostic à moi, c'est

que Mme Exelmans, à ce jeu-là, finira par se détériorer
l'estomac.

— L'autre fois, grand-mère, c'était pour le prince Geor-
gevitch, n'est-ce pas, qu'elle s'est tuée?

— Où as-tu la tête, ma chérie? C'était pour le comte
Berthou de Sauveterre.

— Âh! oui, c'est vrai... Alors, qu'est-ce qu'il va faire,
maintenant, tonton?

Les vastes yeux de Mme Alvarez rêvèrent un moment :

— C'est pile ou face, mon enfant. Nous le saurons
bientôt, même s'il commence par refuser toutes les interviews. Il faut toujours commencer par refuser toutes les
interviews. Après, on remplit les journaux. Dis à la concierge qu'elle nous prenne ceux du soir. As-tu assez mangé,
au moins? Tu as pris ta seconde tasse de lait, tes deux tar-
tines? Gante-toi avant de sortir. Ne t'attarde pas en route.
Je vais réveiller ta mère. Quelle histoire!... Andrée, tu dors?
Ah! tu es levée? Andrée, Liane s'est suicidée.

— Pour changer, grommela Andrée. Elle n'a qu'une
idée dans la tête, celle-là, mais elle y tient.

— Tu n'as pas encore quitté tes bigoudis, Andrée?

— Pour que je sois défrisée à la répétition, merci!

Mme Alvarez toisa sa fille, des bigoudis-cornus aux pan-
toufles de feutre :

— On voit que tu n'as pas à craindre le regard de l'homme,
ma fille. La présence d'un homme, ça vous guérit une femme
de porter peignoir et savates. Quelle histoire que ce suicide!
Elle s'est ratée, bien entendu.

La bouche pâle d'Andrée fit un sourire de mépris :

— On commence à en avoir par-dessus les oreilles de ses
purges au laudanum, à celle-là!

— Aussi, ce n'est pas elle qui est intéressante, c'est le fils

Lachaille. C'est la première fois que ça lui arrive. Il a déjà eu, voyons... Il a eu Gentiane qui lui a volé des papiers, et puis cette étrangère qui voulait se faire épouser de force, mais Liane est sa première suicidée. Dans un cas pareil, un homme aussi marquant doit choisir avec beaucoup de précautions son attitude!

— Lui? Il va crever d'orgueil, tu penses.

— Il y a de quoi, dit Mme Alvarez. Nous verrons de grandes choses sous peu. Je me demande ce que dira Alicia sur un événement pareil...

— Elle essaiera de faire battre quelques montagnes.

— Alicia n'est pas un ange. Mais je dois reconnaître qu'elle a des vues qui vont loin. Et sans même quitter sa chambre!

— Elle n'a pas besoin de la quitter, puisqu'elle a le téléphone. Maman, tu ne veux pas qu'on le fasse mettre, le téléphone?

— C'est une dépense, dit soucieusement Mme Alvarez. Nous sommes déjà très juste... Le téléphone n'est vraiment utile qu'aux hommes qui font de grosses affaires et aux femmes qui ont quelque chose à dissimuler. Tu changerais d'existence, — c'est une supposition, — Gigi entrerait dans la vie... Je serais la première à dire : " Mettons le téléphone. " Mais nous n'en sommes pas là, malheureusement.

Elle se permit un soupir, se ganta de caoutchouc et vaqua sans tristesse aux soins du ménage. Grâce à elle, l'appartement modeste vieillissait sans trop déchoir. De sa vie passée, elle gardait les habitudes honorables des femmes sans honneur, et les enseignait à sa fille et à la fille de sa fille. Les draps ne restaient aux lits que dix jours, et la femme de ménage-laveuse-repasseuse racontait bien haut que chez Mme Alvarez, on n'avait pas le temps de voir passer les chemises et les pantalons de ces dames, ni les serviettes de table. Au cri inopiné de " Gigi, déchausse-toi! " Gilberte devait quitter souliers et bas, fournir à toute enquête des pieds blancs, des ongles bien taillés, et dénoncer la moindre menace de durillon.

La semaine qui suivit le suicide de Mme d'Exelmans, le fils Lachaille se mit à réagir avec quelque incohérence. Il donna dans son hôtel une fête de nuit où dansèrent les étoiles de l'Académie nationale de musique, et fit, pour un souper, ouvrir le restaurant du Pré-Catelan quinze jours avant la date habituelle. Footit et Chocolat y jouèrent un intermède. Entre les tables du souper, Rita del Erido caracola à cheval, en jupe-culotte à volants de dentelle blanche, un chapeau blanc sur ses cheveux noirs, des plumes d'autruche blanches écumant autour de son visage implacablement beau, si beau que Paris s'y trompa et annonça que Gaston Lachaille la hissait (à califourchon) sur un trône de sucre. Mais vingt-quatre heures plus tard, Paris se détrompait. Le *Gil Blas*, pour avoir donné de faux pronostics, faillit perdre la subvention que lui consentait Gaston Lachaille. Un hebdomadaire spécialisé, *Paris en amour*, annonça une autre fausse piste sous le titre : *Une jeune et richissime Yankee ne déguise pas son penchant pour le sucre français.*

Cependant, un rire d'incrédulité secouait la gorge abondante de Mme Alvarez lorsqu'elle lisait les journaux. Car elle tenait ses certitudes de Gaston Lachaille lui-même, qui trouva le temps, deux fois en dix jours, de venir quêter une camomille et d'accoter, au dossier du fauteuil en conque, sa lassitude d'industriel et sa mécontente humeur d'homme seul. Même, il apporta à Gigi un rouleau à musique ridicule en cuir de Russie à fermoir de vermeil, et vingt boîtes de réglisse.

Mme Alvarez eut un foie gras et six bouteil lesde champagne, munificences sur lesquelles tonton Lachaille
préleva sa part en s'invitant à dîner.

Gilberte, un peu grise, raconta pendant le repas les
potins de son cours supplémentaire et gagna au piquet
le porte-mine en or de Gaston. Il perdit de bonne grâce,
s'anima, rit en désignant la petite à Mme Alvarez : " Mon
meilleur copain, le voilà! " Et les yeux espagnols de
Mme Alvarez allaient, pleins d'une lente et vigilante
attention, des joues rouges et des dents blanches de Gigi
au fils Lachaille qui lui tirait les cheveux à poignées :
" Bougresse, tu l'avais dans ta manche, le quatrième roi! "

Andrée rentra de l'Opéra-Comique sur ces entrefaites,
regarda la tête décoiffée de Gigi qui roulait sur la manche
de Lachaille, et les beaux yeux bleu d'ardoise qui pleuraient
des larmes de fou rire... Elle ne trouva point de paroles et
accepta un verre de champagne, puis un autre verre, et
encore un autre verre. Mais comme elle manifestait l'intention, après le troisième verre de faire entendre à Gaston Lachaille l'air des clochettes de *Lakmé*, sa mère la conduisit
à son lit.

Le lendemain, personne ne parlait de cette soirée familiale, hors Gilberte, qui s'exclamait : " Jamais, jamais de
ma vie, je n'ai tant ri! Et il est en or, le porte-mine! " Son
expansion rencontrait un silence étrange, ou bien des
" Allons, Gigi, sois un peu sérieuse !" jetés comme distraitement.

Puis Gaston Lachaille fut une quinzaine sans donner signe
de vie ni de présence, et la famille Alvarez ne se documenta
que par les journaux.

— Tu as vu, Andrée? On a signalé dans les échos mon-
dains le départ de M. Gaston Lachaille pour Monte-Carlo.

" *Une sorte de mystère sentimental, que nous respecterons, semble environner ce départ...* " Qu'ils disent!

— Grand-mère, crois-tu, au cours de danse, Lydia Poret disait que Liane était partie par le même train que tonton, mais dans un autre compartiment! Grand-mère, tu crois que c'est vrai?

Mme Alvarez haussait les épaules :

— Si c'était vrai, comment ces Poret le sauraient-elles? Elles sont en relations avec M. Lachaille, maintenant?

— Non, mais Lydia Poret l'a entendu dire dans la loge de sa tante qui est de la Comédie-Française.

Mme Alvarez échangea un regard avec sa fille.

— Dans la loge! J'en entends, dit Mme Alvarez.

Car elle tenait en mépris le métier d'artiste, en dépit du sévère emploi d'Andrée. Lorsque Mme Émilienne d'Alençon avait décidé de faire évoluer des lapins savants, lorsque Mme de Pougy, plus timide en scène qu'une jeune fille, s'était divertie à mimer un rôle de Colombine en tulle noir pailleté, Mme Alvarez les avait toutes deux flétries d'un seul mot : " Comment, elles en sont là? "

— Grand-mère, dis, grand-mère, reprit Gilberte, tu le connais, le prince Radziwill?

— Qu'est-ce qu'elle a, aujourd'hui, cette enfant? Elle est mangée des mouches? Quel prince Radziwill, d'abord? Il n'y en a pas qu'un.

— Je ne sais pas, dit Gigi. Un qui se marie. Il y a sur la liste des cadeaux : " ... trois garnitures de bureau en malachite... " Qu'est-ce que c'est, malachite?

— Eh! Tu nous ennuies! Du moment qu'il se marie, il n'est pas intéressant.

— Mais si tonton Gaston se mariait, il ne serait pas intéressant non plus?

— Ça dépend. Ça serait intéressant s'il épousait sa maîtresse. Quand le prince Cheniaguine a épousé Valentine
d'Aigreville, on a bien compris qu'il ne voulait pas d'autre
vie que celle qu'elle lui faisait depuis quinze ans, c'est-à-dire
les scènes, les assiettes jetées contre le mur, les réconcilia-
tions en plein restaurant Durand, place de la Madeleine.
On a compris que c'est une femme qui savait se faire appré-
cier. Mais tout ça, c'est bien compliqué pour toi, ma pauvre
Gigi...

— Et tu crois que c'est pour épouser Liane qu'ils seraient
partis ensemble?

Mme Alvarez appuya son front à la vitre, parut interroger
le soleil de printemps qui dotait la rue d'une moitié chaude et
d'une moitié fraîche :

— Non, dit-elle. Ou bien, je ne connais plus rien à rien.
J'ai besoin de parler à Alicia. Gigi, accompagne-moi jusque
chez elle, tu m'y laisseras et tu reviendras par les quais. Ça
te fera prendre l'air, puisque, maintenant, il paraît qu'il
faut prendre l'air. Je n'ai jamais pris l'air que deux fois par
an, à Cabourg et à Monte-Carlo, moi. Et je ne m'en porte
pas plus mal.

Ce jour-là, Mme Alvarez rentra si tard que la famille
dîna de potage tiède et de viande froide, et de gâteaux
envoyés par tante Alicia. Elle opposa aux " qu'est-ce qu'elle
raconte? " de Gilberte un front de beurre glacé et des ré-
ponses d'airain :

— Elle raconte qu'elle va t'apprendre à manger des ortolans.

— Chic! s'écria Gilberte. Et qu'est-ce qu'elle a dit pour
ma robe d'été qu'elle m'a promise?

— Elle a dit qu'elle verrait. Et que tu n'aurais pas sujet
d'être mécontente.

— Ah! dit tristement Gilberte.

— Elle recommande aussi que tu viennes déjeuner chez elle jeudi, midi tapant.

— Avec toi, grand-mère?

Mme Alvarez regarda la longue enfant assise en face d'elle, les pommettes hautes et roses sous les yeux bleus comme le soir, les dents épaisses qui mordaient les lèvres fraîches et fendillées, la sauvage abondance des cheveux cendrés :

— Non, dit-elle enfin. Sans moi.

Gilberte se leva, lui passa un bras autour du cou :

— Comme tu dis ça... Grand-mère, tu ne vas pas me mettre en pension chez tante Alicia, au moins? Je ne veux pas quitter d'ici, grand-mère!

Mme Alvarez s'enroua, toussa, sourit :

— Mon Dieu, que cette enfant est bête! Quitter d'ici! Ah! mon pauvre Gigi, ce n'est pas pour t'en faire reproche, mais tu n'en prends guère le chemin!

Tante Alicia, pour cordon de sonnette, avait suspendu à sa porte un galon de perles, sur le fond duquel couraient des feuilles de vigne verte et des raisins violets. La porte elle-même, vernie, revernie et comme mouillée, brillait d'un éclat de sombre caramel. Dès le seuil, qu'ouvrait un " domestique mâle ", Gilberte goûtait sans discernement une atmosphère de luxe discret. Le tapis, recouvert lui-même de tapis de Perse, lui donnait des ailes. Mme Alvarez ayant décrété que le petit salon Louis XV de sa sœur était " l'ennui même ", Gilberte répétait : " Le salon de tante Alicia est très joli, mais c'est l'ennui même! " et elle réservait sa considération pour une salle à manger en citronnier pâle, datant du Directoire, blonde et sans incrustations, parée des seules veines d'un bois transparent comme la cire. " Je m'en achèterai une comme ça plus tard ", disait innocemment Gilberte.

— C'est ça, au faubourg Antoine, raillait tante Alicia en souriant d'une bouche fine, ornée de petites dents qu'on entrevoyait par éclairs.

Elle avait soixante-dix ans et des goûts personnels, une chambre à coucher gris d'argent à vases de Chine rouges, une salle de bain étroite et blanche, chaude comme une serre, une santé robuste qu'elle cachait sous des affectations de fragilité. Les hommes de sa génération, quand ils voulaient dépeindre Alicia de Saint-Efflam, se perdaient dans des " Ah! mon cher!... ", des " Rien ne peut donner une idée... ". Ceux qui avaient été ses intimes montraient des photographies que les jeunes gens trouvaient médiocres : " Vraiment, elle était très jolie? On ne croirait pas, sur la photo... " D'anciens amoureux rêvaient un moment devant ses portraits, reconnaissaient un poignet ployé en cou de cygne, une petite oreille, un profil où se révélait le rapport délicieux entre une bouche façonnée en cœur et l'angle très ouvert des paupières à longs cils...

Gilberte embrassa la jolie vieille dame, qui portait sur ses cheveux blancs une pointe en Chantilly noir et sur son corps, un peu tassé, une robe d'intérieur en taffetas changeant.

— Tu as ta migraine, tante Alicia?

— Je ne sais pas encore, répondit tante Alicia, ça dépendra du déjeuner. Viens vite, les œufs sont prêts. Quitte ton manteau. Qu'est-ce que c'est que cette robe?

— Une à mama, qu'on m'a refaite. C'est des œufs difficiles, ce matin?

— Du tout. Œufs brouillés aux croûtons. Les ortolans

non plus ne sont pas difficiles. Et tu auras de la crème au chocolat. Moi aussi, j'en aurai.

La voix jeune, les rides clémentes rehaussées de rose, une dentelle sur ses cheveux blancs, tante Alicia jouait les marquises de théâtre. Gilberte révérait sa tante en bloc. En s'attablant, elle tira sa jupe sous son séant, joignit les genoux, rapprocha ses coudes de ses flancs en effaçant les omoplates et ressembla à une jeune fille. Elle savait sa leçon, rompait délicatement son pain, mangeait la bouche close, se gardait, en découpant sa viande, d'avancer l'index sur le dos de la lame. Un catogan serré sur la nuque découvrait les frais abords du front et des oreilles et le cou singulièrement puissant dans l'encolure, un peu ratée, de la robe refaite, d'un bleu morne, à corsage froncé sur un empiècement, rafistolage sur lequel on avait cousu, pour l'égayer, trois rangs de galons mohair au bord de la jupe et trois fois trois galons mohair sur les manches, entre le poignet et l'épaule.

Tante Alicia, en face de sa nièce, l'épiait de son bel œil bleu noir, sans trouver rien à redire.

— Quel âge as-tu? demanda-t-elle brusquement.

— Mais comme l'autre jour, tante. Quinze ans six mois. Tante, qu'est-ce que tu en penses, toi, de cette histoire de tonton Gaston?

— Pourquoi? Ça t'intéresse?

— Bien sûr, tante. Ça m'ennuie. Si tonton se remet avec une autre dame, il ne viendra plus jouer au piquet à la maison ni boire de la camomille, au moins pendant quelque temps. Ce sera dommage.

— C'est un point de vue, évidemment...

Tante Alicia, les paupières clignées, regardait sa nièce d'une manière critique.

— Tu travailles, à tes cours? Qui as-tu comme amies?
Les ortolans, coupe-les en deux, d'un coup de couteau bien
assuré qui ne fasse pas grincer la lame sur l'assiette. Croque
chaque moitié. Les os ne comptent pas. Réponds à ma
question sans t'arrêter de manger et pourtant sans parler la
bouche pleine. Arrange-toi. Puisque je le fais, tu peux le
faire. Qui as-tu comme amies?

— Personne, tante. Grand-mère ne me permet même pas
d'aller goûter chez les parents de mes camarades de cours.

— Elle a raison. Dehors, tu n'as personne dans tes
jupes? Pas de surnuméraire à serviette sous le bras? Pas de
collégien? Pas d'homme mûr? Je te préviens que si tu me
mens je le saurai.

Gilberte contemplait le brillant visage de vieille femme
autoritaire, qui l'interrogeait avec âpreté.

— Mais non, tante, personne. Est-ce qu'on t'a parlé
de moi en mal? Je suis toujours toute seule. Et pourquoi
grand-mère m'empêche-t-elle d'accepter des invitations?

— Elle a raison, pour une fois. Tu ne serais invitée que
par des gens ordinaires, c'est-à-dire inutiles.

— Nous ne sommes pas des gens ordinaires, nous?

— Non.

— Qu'est-ce qu'ils ont de moins que nous, les gens ordinaires?

— Ils ont la tête faible et le corps dévergondé. En outre,
ils sont mariés. Mais je ne crois pas que tu comprennes.

— Si, tante, je comprends que nous, nous ne nous marions
pas.

— Le mariage ne nous est pas interdit. Au lieu de se
marier " déjà ", il arrive qu'on se marie " enfin ".

— Mais est-ce que ça m'empêche de fréquenter des jeunes
filles de mon âge?

— Oui. Tu t'ennuies chez toi? Ennuie-toi un peu. Ce n'est pas mauvais. L'ennui aide aux décisions. Qu'est-ce que c'est? Une larme? Une larme de petite sotte, qui n'est pas en avance pour son âge. Reprends un ortolan.

Tante Alicia étreignit, de trois doigts étincelants, le pied de son verre qu'elle leva :

— A nos santés, Gigi! Tu auras une khédive avec ta tasse de café. A la condition que je ne voie pas le bout de ta cigarette mouillé, et que tu fumes sans crachoter des brins de tabac en faisant *ptu*, *ptu*... Je te donnerai aussi un mot pour une première de chez Béchoff-David, une ancienne camarade qui n'a pas réussi. Ta garde-robe va changer. Qui ne risque rien n'a rien.

Les yeux bleu foncé brillèrent. Gilberte bégaya de joie.

— Tante! Tante! De chez... De chez Bé...

— ...choff-David. Mais je croyais que tu n'étais pas coquette?

Gilberte rougit.

— Tante, je ne suis pas coquette pour les robes qu'on me fait à la maison.

— Je comprends ça. Aurais-tu du goût? Quand tu penses à te faire belle, comment te vois-tu?

— Oh! mais je sais très bien ce qui m'irait, tante! J'ai vu...

— Explique-toi sans gestes. Dès que tu gesticules, tu fais commun.

— J'ai vu une robe... Oh! une robe créée pour Mme Lucy Gérard... Des centaines de petits plis en mousseline de soie gris perle, du haut en bas... Et puis une robe de drap découpé, bleu lavande, sur un fond de velours noir, le dessin découpé fait comme une queue de paon sur la traîne...

La petite main aux belles pierreries brilla dans l'air :

— Assez, assez! Je vois que tu aurais des tendances à t'habiller comme une grande coquette du Français — et tu prends ça pour un compliment. Viens verser le café. Et sans relever le bec de la cafetière d'un coup de poignet pour couper la goutte. J'aime encore mieux un bain de pied dans la soucoupe que des virtuosités de garçon de café.

L'heure qui suivit parut courte à Gilberte : tante Alicia avait entrouvert un coffret à bijoux, pour une leçon éblouissante.

— Qu'est-ce que c'est que ça, Gigi?

— Un diamant navette.

— On dit : un brillant navette. Et ça?

— Une topaze.

Tante Alicia leva ses mains que le soleil, ricochant sur ses bagues, éclaboussa de bluettes :

— Une topaze! J'ai enduré bien des humiliations, mais celle-là dépasse tout. Une topaze parmi mes bijoux! Pourquoi pas une aigue-marine ou un péridot? C'est un brillant jonquille, petite dinde, et tu n'en verras pas souvent de pareils. Et ça?

Gilberte entrouvrit la bouche, devint rêveuse :

— Oh! ça c'est une émeraude... Oh! c'est beau!

Tante Alicia passa la grande émeraude carrée à son doigt mince et se tut un moment.

— Tu vois, dit-elle à mi-voix, ce feu presque bleu qui court au fond de la lumière verte... Seules les plus belles émeraudes contiennent ce miracle de bleu insaisissable...

— Qui te l'a donnée, tante? osa demander Gilberte.

— Un roi, dit simplement tante Alicia.

— Un grand roi?

— Non, un petit. Les grands rois ne donnent pas de très belles pierres.

Tante Alicia montra fugitivement le blanc de ses dents
étroites :

— Si tu veux mon opinion, c'est parce qu'ils n'aiment
pas ça. Entre nous, les petits non plus.

— Alors, qui donne les très belles pierres?

— Qui? Les timides. Les orgueilleux aussi. Les mufles,
parce qu'ils croient qu'en donnant un bijou monstre ils
font preuve de bonne éducation. Quelquefois une femme,
pour humilier un homme. Ne porte pas de bijoux de second
ordre, attends que viennent ceux de premier ordre.

— Et s'ils ne viennent pas?

— Tant pis. Plutôt qu'un mauvais diamant de trois mille
francs, porte une bague de cent sous. Dans ce cas-là tu
dis : " C'est un souvenir, je ne le quitte ni jour ni nuit. "
Ne porte jamais de bijoux artistiques, ça déconsidère complètement une femme.

— C'est quoi, un bijou artistique?

— Ça dépend. C'est une sirène en or, avec des yeux en
chrysoprase. C'est un scarabée égyptien. Une grosse amé-
thyste gravée. Un bracelet pas très lourd mais dont on dit
qu'il est ciselé de main de maître. Une lyre, une étoile montée
en broche. Une tortue incrustée. Enfin des horreurs. Ne
porte pas de perles baroques, même en épingles à chapeau.
Garde-toi aussi du bijou de famille!

— Grand-mère a pourtant un beau camée, en médaillon.

— Il n'y a pas de beaux camées, dit Alicia en hochant la
tête. Il y a la pierre précieuse et la perle. Il y a le brillant blanc,
jonquille, bleuté ou rose. Ne parlons pas des diamants
noirs, ils n'en valent pas la peine. Il y a le rubis — quand on
est sûr de lui. Le saphir, quand il est de Cachemire, l'émeraude, pourvu qu'elle n'ait pas Dieu sait quoi, dans son eau,
d'un peu clair, d'un peu jaunasse...

— Tante, j'aime bien aussi les opales.

— Désolée, mais tu n'en porteras pas. Je m'y oppose formellement.

Saisie, Gilberte resta un moment bouche bée.

— Oh! ... toi aussi, tu le crois, tante, qu'elles attirent la mauvaise chance?

— Pourquoi donc pas...? Petite bête, reprit légèrement Alicia, il faut avoir l'air d'y croire. Crois aux opales, crois... Voyons, qu'est-ce que je pourrais bien t'indiquer... aux turquoises qui meurent, au mauvais œil...

— Mais, dit Gigi hésitante, ce sont des... des superstitions...

— Bien sûr, ma fille. On appelle ça aussi des faiblesses. Un joli lot de faiblesses et la peur des araignées, c'est notre bagage indispensable auprès des hommes.

— Pourquoi, tante?

La vieille dame ferma le coffret, garda devant elle Gilberte agenouillée :

— Parce que neuf hommes sur dix sont superstitieux, dix-neuf sur vingt croient au mauvais œil, et quatre-vingt-dix-huit sur cent ont peur des araignées. Ils nous pardonnent... beaucoup de choses, mais non pas d'être libres de ce qui les inquiète... Qu'est-ce que tu as à soupirer?

— Jamais je ne me rappellerai tout ça...

— L'important n'est pas que tu te le rappelles, mais que moi je le sache.

— Tante, qu'est-ce que c'est qu'une garniture de bureau en... en malachite?

— Toujours une calamité. Mais qui, bon Dieu, t'apprend des mots pareils?

— La liste des cadeaux de grands mariages, tante, dans les journaux.

— Jolie lecture. Enfin, tu peux toujours y apprendre quels sont les cadeaux qu'il ne faut ni faire, ni recevoir...

En parlant, elle touchait çà et là, d'un ongle aigu, le jeune visage à hauteur du sien. Elle soulevait une lèvre fendillée, vérifiait l'émail sans tache des dents.

— Belle mâchoire, ma fille! Avec des dents pareilles, j'aurais mangé Paris et l'étranger. Il est vrai que j'en ai mangé un joli morceau. Qu'est-ce que tu as là? Un petit bouton? Tu ne dois pas avoir un petit bouton près du nez. Et là? Tu t'es pincé un point noir. Tu ne dois ni avoir ni pincer un point noir. Je te donnerai de mon eau astringente. Il ne faut pas manger d'autre charcuterie que du jambon cuit. Tu ne mets pas de poudre?

— Grand-mère me le défend.

— Je l'espère bien. Tu vas régulièrement au petit endroit? Souffle-moi dans le nez. D'ailleurs à cette heure-ci ça ne prouve rien, tu viens de déjeuner...

Elle posa ses mains sur les épaules de Gilberte :

— Fais attention à ce que je te dis : tu peux plaire. Tu as un petit nez impossible, une bouche sans style, les pommettes un peu moujikes...

— Oh! tante! gémit Gilberte.

— ... mais tu as de quoi t'en tirer avec les yeux, les cils, les dents et les cheveux, si tu n'es pas complètement idiote. Et pour le corps...

Elle coiffa de ses paumes en conque la gorge de Gigi et sourit :

— Projet... Mais joli projet, bien attaché. Ne mange pas trop d'amandes, ça alourdit les seins. Ah! fais-moi donc songer à t'apprendre à choisir les cigares.

Gilberte ouvrit si grands ses yeux que les pointes de ses cils touchèrent ses sourcils :

— Pourquoi?

Elle reçut une petite claque sur la joue.

— Parce que. Je ne fais rien sans raison. Si je m'occupe de toi, il faut que je m'occupe de tout. Quand une femme connaît les préférences d'un homme, cigares compris, quand un homme sait ce qui plaît à une femme, ils sont bien armés l'un contre l'autre...

— Et ils se battent, conclut Gilberte d'un air fin.

— Comment, ils se battent?

La vieille dame regarda Gigi avec consternation :

— Ah! dit-elle, ce n'est décidément pas toi qui as inventé la glace à trois faces... Viens, psychologue, que je te donne un mot pour Mme Henriette de chez Béchoff...

Pendant qu'elle écrivait, assise à un bonheur-du-jour minuscule et rosé, Gilberte respirait le parfum de la chambre soignée, recensait sans convoitise les meubles qui lui étaient familiers et mal connus, l'Amour sagittaire indiquant les heures sur la cheminée, deux tableaux galants, un lit en forme de vasque et sa couverture de chinchilla, le chapelet de petites perles fines et les Évangiles sur la table de chevet, deux lampes de Chine rouges, heureuses sur la tenture grise...

— File, mon petit. Je te convoquerai par la suite. Demande à Victor le gâteau que tu vas emporter. Doucement, ne me décoiffe pas! Et tu sais, je te regarde partir. Gare à toi si tu marches en grenadier ou si tu traînes les pieds!

Le mois de mai, qui ramena à Paris Gaston Lachaille, dota Gilberte de deux robes bien faites et d'un manteau léger — "un paletot-sac comme Cléo de Mérode", disait-elle —, de chapeaux et de chaussures. Elle y ajouta quelques frisures sur le front qui la banalisèrent. Elle parada devant

Gaston dans une robe blanche et bleue, qui touchait presque
terre : " Quatre mètres vingt-cinq de tour, tonton, qu'elle a,
ma jupe! " La minceur de sa taille, sanglée dans un ruban de
gros grain à boucle d'argent, l'enorgueillissait. Mais elle
essayait machinalement de libérer son beau cou musclé,
pris dans un col baleiné, en " venise imitation " comme le
corsage froncé. Les manches et la jupe évasée, en toile de
soie à rayures blanches et bleues, bruissaient légèrement,
et Gilberte pinçait avec coquetterie les bouffants des
manches sur le bras, un peu plus bas que l'épaule.

— Tu as l'air d'un singe savant, lui dit Lachaille. Je t'aimais mieux dans ta robe écossaire. Avec ce col qui te gêne,
tu ressembles à une poule qui a avalé du maïs trop gros.
Regarde-toi.

Froissée, Gilberte s'en rapporta au miroir. Un gros caramel, venu de Nice par les soins de Gaston, lui faisait la joue
bossue.

— J'ai beaucoup entendu parler de vous, tonton, répli-
qua-t-elle, mais je n'ai jamais entendu dire qu'en fait de
toilette vous aviez du goût.

Il toisa, suffoqué, cette nouvelle grande fille, et s'en prit
à Mme Alvarez :

— Jolie éducation! Je vous en fais mon compliment!

Là-dessus il sortit sans boire sa camomille et Mme Alvarez
joignit les mains.

— Qu'est-ce que tu nous as fait là, ma pauvre Gigi!

— Ben, dit Gigi, pourquoi est-ce qu'il me cherche? Il l'a
vu, hein, que je suis bonne pour lui répondre!

Sa grand-mère lui secoua le bras :

— Mais rends-toi compte, petite malheureuse! Mon Dieu,
à quel âge raisonneras-tu? Voilà un homme que tu as peut-
être blessé mortellement! Juste au moment où on s'évertue...

— A quoi, grand-mère?

— Mais... à tout, à faire de toi une jeune fille élégante, à te montrer à ton avantage...

— Aux yeux de qui, grand-mère? Tu m'avoueras que pour un vieil ami comme tonton on n'a pas besoin de se décarcasser!

Mme Alvarez n'avoua rien. Pas même son étonnement, le lendemain, de voir arriver Gaston Lachaille jovial, en complet clair.

— Mets un chapeau, Gigi! Je t'emmène goûter.

— Où? cria Gigi.

— Aux Réservoirs, à Versailles!

— Chic, chic, chic! chanta Gilberte.

Elle se tourna vers la cuisine :

— Grand-mère, je goûte aux Réservoirs avec tonton!

Mme Alvarez parut, ne prit pas le temps de dénouer le tablier de ménage en satinette à fleurs qui lui ceignait le ventre et interposa sa main douillette entre le bras de Gilberte et celui de Gaston Lachaille :

— Non, Gaston, dit-elle simplement.

— Comment, non?

— Oh! grand-mère!... pleura Gigi.

Mme Alvarez parut ne pas l'entendre.

— Va un moment dans ta chambre, Gigi, j'ai à parler en particulier à M. Lachaille.

Elle regarda Gilberte s'en aller, ferma la porte derrière elle, et supporta sans broncher, en revenant à Gaston, un regard noir assez brutal.

— Qu'est-ce que ça signifie, Mamita? Depuis hier, je trouve ici du changement, dites-moi donc?

— Asseyez-vous, Gaston, vous me ferez plaisir, je suis fatiguée, dit Mme Alvarez. Ah! mes pauvres jambes...

Elle soupira, attendit une marque d'intérêt qui ne vint pas et dénoua son tablier à bavette, sous lequel elle portait une robe noire, épinglée d'un large camée. Elle désigna une chaise à son hôte, et garda le fauteuil pour elle. Puis elle s'assit pesamment, lissa ses bandeaux noirs et gris et croisa ses mains sur ses genoux. Le lent mouvement de ses grands yeux d'un noir roux, son aisance à demeurer immobile donnaient à juger qu'elle était maîtresse d'elle-même.

— Gaston, vous savez si j'ai de l'amitié pour vous...

Lachaille se permit un petit rire d'homme d'affaires et tira sur sa moustache.

— De l'amitié et de la reconnaissance. Mais je n'oublie pas non plus que j'ai charge d'âme. Andrée, comme vous savez, n'a pas le temps ni le goût de s'occuper de la petite. Notre Gilberte, ce n'est pas une débrouillarde comme il y en a tant. C'est une vraie enfant...

— De seize ans, dit Lachaille.

— De seize ans bientôt, approuva Mme Alvarez. Depuis des années vous lui donnez des bonbons, des babioles. Elle ne jure que par tonton. Voilà maintenant que vous voulez l'emmener goûter, dans votre automobile, aux Réservoirs...

Mme Alvarez mit une main sur son sein :

— En mon âme et conscience, Gaston, si ça n'était que pour vous et pour moi, je vous dirais : " Emmenez Gilberte où vous voudrez, je vous la confie les yeux fermés. " Mais il y a les autres... Vous êtes connu mondialement. Sortir en tête à tête avec vous, pour une femme, c'est...

Gaston Lachaille perdit patience :

— Bon, bon, j'ai compris! Vous voulez me faire croire que de goûter avec moi, voilà Gigi compromise? Un pareil bout de femme, une oseille verte, une gosse que personne ne connaît, que personne ne regarde...

— Mettons plutôt, interrompit avec douceur Mme Alvarez, que la voilà consacrée. Quand vous paraissez quelque
part, Gaston, on signale votre présence. Une jeune fille
qui sortirait seule avec vous, ça n'est déjà plus une jeune
fille ordinaire, ni même une jeune fille tout court. Notre
Gilberte, elle, ne doit pas cesser d'être une jeune fille ordinaire, du moins pas de cette façon-là. Pour vous, ce qu'on
en dirait ne serait qu'un racontar de plus, mais celui-là je
n'aurais pas le cœur d'en rire en le lisant dans le *Gil Blas*.

Gaston Lachaille se leva, marcha de la table à la porte et
de la porte à la fenêtre avant de répondre.

— Eh bien, Mamita, je ne veux pas vous contrarier. Je
ne discuterai pas, dit-il froidement. Gardez votre gamine.

Il se retourna vers Mme Alvarez, le menton haut :

— Je me demande, entre parenthèses, pour qui vous la
gardez? Pour un employé à deux mille quatre, qui l'épousera
et qui lui fera quatre enfants en trois ans?

— Je comprends mieux le rôle d'une mère, dit posément
Mme Alvarez. Je ferai mon possible pour ne remettre Gigi
qu'à un homme qui saura dire : " Je me charge d'elle et
j'assure son sort. " Est-ce que j'aurai le plaisir de vous faire
une camomille, Gaston?

— Non, merci, je suis en retard.

— Voulez-vous que Gigi vienne vous dire au revoir?

— Pas la peine, je la verrai un autre jour. Je ne sais
pas quand, par exemple. Je suis très pris, ces temps-ci.

— Ça ne fait rien, Gaston, ne vous dérangez pas pour
elle. Bonne promenade, Gaston...

Seule, Mme Alvarez s'essuya le front et alla rouvrir la
chambre de Gilberte :

— Tu écoutais à la porte, Gigi.

— Non, grand-mère.

— Si, tu écoutais à la porte. Il ne faut jamais écouter aux portes. C'est le moyen d'entendre de travers et d'interpréter mal les paroles. M. Lachaille est parti.

— Je le vois bien, dit Gilberte.

— Il faut que tu frottes les pommes de terre nouvelles dans un torchon, je les mettrai à sauter en rentrant.

— Tu sors, grand-mère?

— Je vais chez Alicia.

— Encore?

— C'est à toi d'y trouver à redire, dit Mme Alvarez sévèrement. Tu ferais mieux de laver tes yeux à l'eau froide, puisque tu as été assez sotte pour pleurer.

— Grand-mère...

— Quoi?

— Qu'est-ce que ça te faisait de me laisser sortir avec tonton Gaston et ma robe neuve?

— Silence! Si tu ne comprends rien à rien, au moins laisse raisonner les personnes qui sont capables de raisonnement. Et mets mes gants de caoutchouc pour toucher les pommes de terre.

Une loi de silence pesa toute la semaine sur le logis Alvarez, que visita inopinément, un jour, tante Alicia. Elle vint en coupé de cercle, toute dentelles noires et soie mate, une rose près de l'épaule, et conversa soucieusement à l'écart avec sa sœur cadette. En s'en allant elle ne donna qu'un moment d'attention à Gilberte, lui posa sur la joue un baiser pointu et s'en alla.

— Qu'est-ce qu'elle voulait? demanda Gilberte à Mme Alvarez.

— Oh! rien... l'adresse du médecin qui a soigné Mme Buf-fetery pour son cœur.

Gilberte réfléchit un moment :

— C'était long, dit-elle.

— Qu'est-ce qui était long?

— L'adresse du médecin. Grand-mère, je voudrais un cachet, j'ai la migraine.

— Tu l'avais déjà hier. Une migraine ne dure pas quarante-huit heures.

— Il faut croire que je n'ai pas les migraines de tout le monde, dit Gilberte blessée.

Elle perdait un peu de sa douceur, disait en revenant de son cours : " Le professeur m'en veut! " se plaignait d'insomnies, et glissait vers une paresse que sa grand-mère surveillait étroitement plutôt qu'elle ne la combattait. Un jour que Gigi s'occupait d'enduire de craie liquide ses bottines lacées en toile blanche, Gaston Lachaille parut sans avoir sonné. Il avait les cheveux trop longs, le teint assombri de hâle, un complet d'été à carreaux brouillés. Il s'arrêta court devant Gilberte, haut perchée sur un tabouret de cuisine, le poing gauche coiffé d'une chaussure.

— Oh!... Grand-mère a laissé la clef sur la porte, c'est bien d'elle!

Comme Gaston Lachaille ne disait rien et la regardait, elle rougit lentement, posa sa bottine sur la table et tira sa jupe sur ses genoux.

— Ainsi, tonton, vous arrivez en cambrioleur! Tiens, vous avez maigri. Il ne vous nourrit donc pas, votre fameux ancien chef cuisinier du prince de Galles? D'avoir maigri, ça vous fait les yeux plus grands. Mais ça vous fait aussi paraître le nez plus long, et...

— J'ai à parler à ta grand-mère, interrompit Gaston Lachaille. File dans ta chambre, Gigi!

Elle resta un instant la bouche ouverte, puis sauta à bas

de son tabouret. Elle enfla son cou puissant d'archange et marcha sur Lachaille :

— File dans ta chambre! File dans ta chambre! Et si je vous en disais autant, moi? Qu'est-ce que vous êtes donc ici, pour me faire filer dans ma chambre? Eh bien, j'y vais, dans ma chambre! Et je peux bien vous dire une chose, c'est que tant que vous serez là je n'en ressortirai pas.

Elle rabattit la porte derrière elle et fit claquer théâtralement un verrou.

— Gaston, souffla Mme Alvarez, j'exigerai que cette enfant vous fasse des excuses, oui, je l'exigerai, et s'il le faut, je...

Gaston Lachaille ne l'écoutait pas et regardait la porte fermée.

— Maintenant, Mamita, dit-il, parlons peu et parlons bien...

— Récapitulons, dit tante Alicia. Il a bien dit pour commencer : " Elle sera gâtée, comme... "

— Comme aucune femme ne l'a été!

— Oui, mais ça c'est une parole vague comme tous les hommes en disent. Moi, je suis pour les précisions.

— Elles n'ont pas manqué, Alicia. Puisqu'il a dit qu'il voulait garantir Gigi contre tous les ennuis, et même contre lui-même, par une assurance, qu'il était un peu comme son parrain.

— Oui... oui... Pas mal, pas mal... Du vague, toujours du vague...

Elle était encore couchée, ses cheveux blancs en boucles sur son oreiller rose. Elle nouait et dénouait, préoccupée, le ruban de son vêtement de nuit.

Mme Alvarez, pâle et sombre comme la lune et le

nuage sous son chapeau du matin, appuyait au chevet ses
bras croisés :

— Il a ajouté : " Je ne veux rien brusquer. Je suis avant
" tout le grand ami de Gigi. Je lui donnerai tout le temps
" de s'habituer à moi... " Il en avait les larmes aux yeux. Il a
dit encore : " Elle n'aura pas affaire à un sauvage... " Enfin,
un gentilhomme. Un véritable gentilhomme.

— Oui... oui... Un gentilhomme un peu vague... La
petite, tu lui as parlé net?

— Comme je le devais, Alicia. Ce n'était plus le moment
de la traiter comme une enfant à qui on cache les gâteaux.
Oui, j'ai parlé net. J'ai parlé de Gaston comme d'un miracle,
comme d'un Dieu, comme...

— Tt, tt, tt, critiqua Alicia. J'aurais plutôt fait ressortir
la difficulté, la partie à jouer, la fureur de toutes ces dames,
la victoire à remporter sur un homme en vue...

Mme Alvarez joignit les mains :

— La difficulté! La partie à jouer! Tu crois donc qu'elle
te ressemble? Tu ne la connais donc pas? Elle est sans
méchanceté, elle...

— Merci.

— Je veux dire qu'elle n'a pas d'ambition. J'ai même
été frappée de voir qu'elle ne réagissait ni dans un sens ni
dans l'autre. Pas de cris de joie, pas de larmes d'émotion.
Tout ce que j'en tirais, c'est des : " Oh! oui... oh! c'est bien
gentil de sa part... " A la fin seulement, elle a posé comme
conditions...

— Ce qu'il faut entendre! murmura Alicia.

— ... qu'elle répondrait elle-même aux propositions de
M. Lachaille et qu'elle s'expliquerait seule avec lui. Qu'en
somme ça la regardait.

— Attendons-nous à du joli. Tu as donné le jour à une

inconsciente. Elle va lui demander la lune, et... je le connais, il ne la lui donnera pas. C'est à quatre heures qu'il vient?

— Oui.

— Il n'a rien envoyé? Pas de fleurs? Pas un bibelot?

— Rien. C'est mauvais signe, tu crois?

— Non. Ça lui ressemble assez. Veille à ce que la petite s'habille gentiment. Elle a bonne mine?

— Pas trop bonne aujourd'hui. Pauv' petit lapin...

— Allons, allons..., dit durement Alicia. Tu pleurniche-ras un autre jour — quand elle aura tout fait rater.

— Tu n'as guère mangé, Gigi.

— Je n'avais pas beaucoup faim, grand-mère. Est-ce que je peux ravoir un peu de café?

— Bien sûr.

— Et une goutte de Combier?

— Mais oui. Le Combier est souverainement stoma-chique.

La fenêtre ouverte laissait entrer les bruits et la tiédeur de la rue. Gilberte trempait le bout de sa langue jusqu'au fond du verre à liqueur.

— Si tante Alicia te voyait, Gigi! dit légèrement Mme Al-varez.

Gigi ne répondit que d'un petit sourire désabusé. Sa vieille robe écossaise lui bridait la poitrine, et hors de sa jupe elle étirait ses longues jambes sous la table.

— Qu'est-ce que maman répète donc aujourd'hui, qu'elle n'a pas déjeuné avec nous, grand-mère? Tu crois qu'elle répète vraiment à son Opéra-Comique?

— Puisqu'elle nous l'a dit.

— Moi je crois qu'elle n'a pas voulu déjeuner ici.

— Qu'est-ce qui te fait penser ça?

Sans quitter des yeux la fenêtre ensoleillée, Gilberte haussa les épaules.

— Oh! rien, grand-mère...

Quand elle eut tari son verre de Combier, elle se leva et commença à rassembler le couvert.

— Laisse donc ça, Gigi, je vais desservir.

— Pourquoi, grand-mère? Je fais comme d'habitude.

Elle planta dans les yeux de Mme Alvarez un regard que la vieille dame ne soutint pas.

— Nous avons déjeuné en retard, il est près de trois heures et tu n'es pas habillée, rends-toi compte, Gigi...

— Ce serait bien la première fois qu'il me faudrait une heure pour me changer.

— Tu n'as pas besoin de moi? Tu es assez bouclée?

— Bien assez, grand-mère. Quand on sonnera, ne te dérange pas, j'irai ouvrir.

A quatre heures précises, Gaston Lachaille sonna trois fois. Un visage enfantin et soucieux entrebâilla la porte de la chambre et écouta. Après trois autres coups de sonnette impatients, Gilberte s'avança jusqu'au milieu de la pièce. Elle avait gardé sa vieille robe écossaise et ses bas de fil. Elle se frotta les joues de ses deux poings fermés et courut ouvrir la porte.

— Bonjour, tonton Gaston.

— Tu ne voulais donc pas m'ouvrir, mauvaise?

Ils se heurtèrent de l'épaule en passant la porte, se dirent : " Oh! pardon! " d'un ton rogue, puis rirent gauchement.

— Asseyez-vous, je vous en prie, tonton. Figurez-vous que je n'ai pas eu le temps de m'habiller. Ce n'est pas comme vous! En fait de serge bleu marine on ne fait pas mieux!

— Tu n'y connais rien, c'est de la cheviotte.

— C'est vrai. Où ai-je la tête?

Elle s'assit en face de lui, tira sa jupe sur ses genoux et ils se regardèrent. La gamine assurance de Gilberte défaillit, une sorte de supplication agrandit follement ses yeux bleus.

— Qu'est-ce que tu as, Gigi? demanda Lachaille à mi-voix. Dis-moi quelque chose?... Tu sais pourquoi je suis ici?

Elle fit signe que oui, d'un grand coup de tête.

— Tu ne veux pas, ou tu veux bien? dit-il plus bas.

Elle passa une boucle de cheveux derrière son oreille, avala sa salive courageusement :

— Je ne veux pas, dit-elle.

Lachaille pinça entre deux doigts les pointes de sa moustache et détacha un moment son regard de deux yeux bleus assombris, d'un grain de rousseur sur une joue rose, des cils courbes, d'une bouche qui ignorait son pouvoir, d'une lourde chevelure cendrée et d'un cou tourné comme une colonne, fort, à peine féminin, uni, pur de tout joyau...

— Je ne veux pas ce que vous voulez, reprit Gilberte. Vous avez dit à grand-mère...

Il l'interrompit en avançant la main. Il tenait sa bouche un peu de travers comme s'il souffrait des dents :

— Je le sais, ce que j'ai dit à ta grand-mère. Ce n'est pas la peine que tu le répètes. Dis-moi seulement ce que tu ne veux pas. Tu peux dire aussi ce que tu veux... Je te le donnerai...

— Vrai? s'écria Gilberte.

Il acquiesça, en abattant ses épaules comme s'il était recru de fatigue. Elle regardait, surprise, ces aveux de la lassitude et du tourment.

— Tonton, vous avez dit à grand-mère que vous vouliez me faire un sort.

— Un très beau, dit fermement Lachaille.

— Il sera beau si je l'aime, dit Gilberte non moins fermement. On m'a corné aux oreilles que je suis en retard
pour mon âge, je comprends tout de même ce que parler
veut dire. Me faire un sort, ça signifie que je m'en irais d'ici.
Que je m'en irais d'ici avec vous, et que je coucherais dans
votre lit...

— Je t'en prie, Gigi...

Elle s'arrêta parce qu'il avait en effet l'accent de la prière.

— Mais, tonton, pourquoi est-ce que je serais gênée
pour vous en parler, puisque vous n'avez pas été gêné
pour en parler à grand-mère? Grand-mère non plus n'a pas
été gênée pour m'en parler. Grand-mère a voulu me faire
voir tout en beau. Mais j'en sais plus qu'elle ne m'en a dit.
Je sais très bien que si vous me faites un sort il faudrait que
j'aie mon portrait dans les journaux, que j'aille à la fête des
Fleurs et aux courses et à Deauville. Quand nous serons
fâchés, le *Gil Blas* et *Paris en amour* le raconteront... Quand
vous me laisserez en plan pour de bon, comme vous avez
fait quand vous avez eu assez de Gentiane des Cévennes...

— Comment, tu sais ça? On t'a mêlée à ces histoires?

Elle inclina la tête gravement.

— C'est grand-mère et tante Alicia. Elles m'ont appris
que vous étiez mondial. Je sais aussi que Maryse Chuquet
vous a volé des lettres et que vous avez porté plainte contre
elle. Je sais que la comtesse Pariewsky n'était pas contente
après vous parce que vous ne vouliez pas épouser une
divorcée et qu'elle vous a tiré un coup de revolver... Je
sais ce que tout le monde sait.

Lachaille posa sa main sur le genou de Gilberte :

— Ce n'est pas de ces choses-là que nous avons à parler
ensemble, Gigi. Tout ça, c'est fini. C'est passé.

— Bien sûr, tonton, jusqu'à ce que ça recommence. Ce

n'est pas votre faute si vous êtes mondial. Mais moi je n'ai pas le caractère mondial. Alors, ça ne me va pas.

En tirant le bord de sa jupe elle fit glisser de son genou la main de Gaston.

— Tante Alicia et grand-mère sont d'accord avec vous. Mais comme il s'agit tout de même un peu de moi, je crois que j'ai mon mot à placer. Mon mot, c'est que ça ne me va pas.

Elle se leva et arpenta la pièce. Le silence de Gaston Lachaille paraissait la gêner, elle ponctua son va-et-vient de : " C'est vrai, s'pas... Non, mais tout de même, quoi!... "

— Je voudrais savoir, dit enfin Gaston, si tu ne cherches pas, simplement, à me cacher que je te déplais... Si je te déplais, ce serait plus vite fait de le dire.

— Mais non, tonton, vous ne me déplaisez pas! Je suis contente quand je vous vois! La preuve, c'est que je vais vous proposer quelque chose à mon tour. Vous viendriez ici comme d'habitude, même plus souvent. Personne n'y verrait du mal puisque vous êtes un ami de la famille. Vous m'apporteriez des réglisses, du champagne pour ma fête, le dimanche on ferait un piquet monstre... Est-ce que ce n'est pas une bonne petite vie? Une vie sans toutes ces histoires de coucher dans votre lit et que tout le monde le sache, de perdre un collier de perles, d'être toujours photographiée et sur le qui-vive, de...

Elle tortillait machinalement, autour de son nez, une mèche de ses cheveux, si bien qu'elle nasillait et que le bout de son nez devenait violet.

— Très jolie petite vie, en effet, interrompit Gaston Lachaille. Tu n'oublies qu'une chose, Gigi, c'est que je suis amoureux de toi.

— Ah! s'écria-t-elle, vous ne me l'avez jamais dit.

— Eh bien, avoua-t-il malaisément, je te le dis.

Elle restait debout devant lui, silencieuse et respirant vite.

Son embarras ne dérobait rien d'elle, ni le double battement de sa gorge sous l'étroit corsage, ni une rougeur meurtrie en haut de ses joues, ni la palpitation de sa bouche, close mais destinée à s'ouvrir et à savourer...

— Voilà autre chose! s'écria-t-elle enfin. Mais alors vous êtes un homme affreux! Vous êtes amoureux de moi, et vous voudriez m'entraîner dans une vie où je ne me ferais que de la peine, où tout le monde potine sur tout le monde, où les journaux écrivent des méchancetés... Vous êtes amoureux de moi, et ça ne vous ferait rien de me mettre dans des aventures abominables qui finissent par des séparations, des disputes, des Sandomir, des revolvers et du lau... et du laudanum...

Elle éclata en sanglots violents qui firent autant de bruit qu'une quinte de toux. Gaston la ceignit de ses bras pour l'incliner vers lui comme une branche, mais elle lui échappa et se réfugia entre le piano et le mur.

— Mais écoute, Gigi... Écoute-moi...

— Jamais! Jamais je ne vous reverrai! Je n'aurais jamais cru ça de vous... Vous n'êtes pas un amoureux, vous êtes un mauvais homme! Allez-vous-en d'ici!

Elle s'aveuglait de ses deux poings, qu'elle écrasait sur ses yeux. Gaston l'avait rejointe et cherchait, sur ce visage bien défendu, la place d'un baiser. Mais il ne trouvait pour ses lèvres que le bord d'un petit menton couvert de larmes. Au bruit des sanglots, Mme Alvarez accourut. Pâle et circonspecte, elle se tint hésitante au seuil de la cuisine :

— Mon Dieu, Gaston, dit-elle, qu'est-ce qu'elle a donc?

— Eh, dit Lachaille, elle a qu'elle ne veut pas!

— Elle ne veut pas..., répéta Mme Alvarez. Comment, elle ne veut pas?

— Non, elle ne veut pas! Je parle clairement, je pense?

— Non, je ne veux pas! piaula Gigi.

Mme Alvarez regardait sa petite-fille avec une sorte de frayeur.

— Gigi... Mais c'est à se jeter la tête contre les murs! Gigi, je t'ai pourtant dit... Gaston, Dieu m'est témoin que je lui ai dit...

— Vous ne lui en avez que trop dit! cria Lachaille.

Il tourna vers la petite son visage qui n'était plus que celui d'un pauvre homme chagrin et épris, mais elle montrait seulement son dos étroit et secoué de pleurs, sa chevelure désordonnée. Il s'écria sourdement :

— Ah! et puis j'en ai assez! et partit en claquant la porte.

Le lendemain, à trois heures, tante Alicia, appelée par pneumatique, descendait de son coupé de cercle, gravissait l'étage des Alvarez en imitant l'essoufflement des cardiaques et poussait sans bruit la porte que sa sœur avait laissée " tout contre ".

— Où est la petite?

— Dans sa chambre. Tu veux la voir?

— On a le temps. Comment est-elle?

— Très calme.

Alicia leva ses petits poings coléreux :

— Très calme! Elle a fait tomber le plafond sur nos têtes et elle est très calme! Quelle génération!

Elle releva sa voilette à pois et foudroya sa sœur du regard.

— Et toi, qui restes là, qu'est-ce que tu comptes faire?

Son visage de rose froissée affrontait durement le grand visage blanc de sa sœur, qui regimba avec modération :

— Comment, ce que je compte faire? Je ne peux pourtant pas l'attacher, cette petite!

Un long soupir souleva ses épaules replètes :

— On peut dire que je n'ai pas mérité les enfants que j'ai.

— Quand tu te lamenteras!... Lachaille est parti d'ici dans l'état d'esprit où un homme fait toutes les bêtises!

— Et même sans son canotier, dit Mme Alvarez. Il est monté nu-tête dans son auto. Toute la rue a pu le voir!

— On me dirait qu'à l'heure qu'il est il est fiancé, ou en train de se remettre avec Liane, je n'en serais pas surprise...

— Le moment est fatidique, dit lugubrement Mme Alvarez.

— Comment lui a-t-il parlé après, à cette petite punaise?

Mme Alvarez pinça les lèvres.

— Gigi est peut-être un peu timbrée pour certaines choses et en retard pour son âge, mais elle n'est pas ce que tu dis. Une jeune fille qui a fixé l'attention de M. Lachaille n'est pas une petite punaise.

Un furieux haussement d'épaules secoua les dentelles noires d'Alicia :

— Bon, bon... Qu'est-ce que tu as reproché à ta princesse, en mettant des gants?

— Je lui ai parlé raison. Je lui ai parlé famille. Je lui ai fait envisager que nous étions attachées à la même corde, je lui ai énuméré tout ce qu'elle pourrait réaliser pour elle-même et pour nous...

— Et déraison, tu ne lui as pas parlé déraison? Tu ne lui as pas parlé amour, voyage, clair de lune, Italie? Il faut savoir faire résonner toutes les cordes. Tu ne lui as pas dit que de l'autre côté du monde la mer est phosphorescente, et qu'il y a des oiseaux-mouches dans les fleurs et qu'on fait l'amour sous les gardénias près d'un jet d'eau.

Mme Alvarez regarda tristement sa fougueuse aînée :

— Je ne pouvais pas le lui dire, Alicia, puisque je n'en sais rien. Le plus loin que j'ai été c'est Cabourg et Monte-Carlo.

— Tu n'es pas capable de l'inventer?

— Non, Alicia.

Elles se turent toutes deux. Alicia fit un geste de décision :

— Appelle-moi cet oiseau. On va voir.

Quand Gilberte entra, tante Alicia avait repris sa gentil-lesse de vieille dame frivole et respirait la rose-thé épinglée près de son menton.

— Bonjour, ma Gigi.

— Bonjour, tante Alicia.

— Qu'est-ce qu'Inès m'apprend? Que tu as un amoureux? Et quel amoureux! Pour ton coup d'essai, c'est un coup de maître!

Gilberte acquiesça, fit un petit sourire méfiant et résigné. Elle offrait à la curiosité aiguë d'Alicia sa fraîche figure, à laquelle le cerne lilas des paupières, la fièvre de la bouche ajoutaient une sorte de maquillage.

Pour avoir moins chaud, elle avait relevé ses cheveux sur ses tempes à l'aide de deux peignes qui lui tiraient les coins des yeux.

— Il paraît aussi que tu fais la méchante et que tu essaies tes griffes sur M. Lachaille? Bravo, ma petite fille!

Gilberte leva sur sa tante des yeux incrédules.

— Mais oui, bravo! Il n'en sera que plus heureux quand tu seras redevenue gentille.

— Mais je suis gentille, tante. Seulement je ne veux pas, voilà tout.

— Oui, oui, nous savons. Tu l'as renvoyé à sa sucrerie, c'est parfait. Mais ne l'envoie pas au diable, il serait capable d'y aller. En somme, tu ne l'aimes pas.

Gilberte fit un geste enfantin des épaules.

— Si, tante, je l'aime bien.

— C'est ce que je dis, tu ne l'aimes pas. Remarque que je n'y vois pas de mal, ça te laisse toute ta liberté d'esprit. Ah! si tu avais été folle de lui, je n'aurais pas été trop rassurée. C'est un beau brun, Lachaille. Bien bâti, il n'y a qu'à voir ses photos de Deauville en costume de bain... Là-dessus sa réputation est faite. Oui, je t'aurais plainte, ma pauvre Gigi. Débuter par une passion... S'en aller seule à seul de l'autre côté du monde... Oublier tout, dans les bras de l'homme qui vous aime, écouter le chant de l'amour sous un éternel printemps... Ça ne parle donc pas à ton cœur, ces choses-là? Qu'est-ce que ça te dit?

— Ça me dit que quand l'éternel printemps est fini, M. Lachaille s'en va avec une autre dame. Ou bien c'est la dame, mettons moi, qui quitte M. Lachaille, et M. Lachaille s'en va tout raconter. Et la dame, mettons toujours moi, n'a plus qu'à aller dans le lit d'un autre monsieur. Je ne veux pas. Moi, je ne suis pas changeante.

Elle croisa ses bras sur ses seins et frissonna légèrement.

— Grand-mère, est-ce que je peux avoir un cachet? Je voudrais me coucher, j'ai froid.

— Idiote, éclata tante Alicia, tu mérites d'avoir un petit magasin de modes! Allez, va, épouse un expéditionnaire!

— Si tu y tiens, tante, mais je voudrais me coucher.

Mme Alvarez lui tâta le front.

— Tu te sens mal?

— Non, grand-mère, c'est que je suis triste.

Elle appuya sa tête à l'épaule de Mme Alvarez et pour la

première fois de sa vie ferma les yeux pathétiquement, comme une femme.

Les deux sœurs se regardèrent.

— Tu penses bien, ma Gigi, dit Mme Alvarez, qu'on ne va pas te tourmenter à ce point-là. Du moment que tu ne veux pas...

— Ce qui est raté est raté, dit sèchement Alicia. On ne va pas en parler toute la vie.

— Tu ne pourras pas nous reprocher que les conseils t'aient manqué, et les plus compétents, dit Mme Alvarez.

— Je sais bien, grand-mère. Mais je suis triste quand même.

— Pourquoi?

Une larme descendit, sans la mouiller, sur la joue duvetée de Gilberte, qui ne répondit pas. Au coup de sonnette brusque qui grelotta, elle sauta sur ses pieds.

— Oh! ça doit être lui, dit-elle. C'est lui... Grand-mère, je ne veux pas le voir, cache-moi, grand-mère...

A l'accent bas et passionné, tante Alicia leva sa tête fine, tendit son oreille experte. Puis elle courut ouvrir la porte, et revint promptement. Gaston Lachaille, le teint bilieux et le blanc de l'œil trouble, la suivait.

— Bonjour Mamita, bonjour Gigi, dit-il d'un ton badin. Ne vous dérangez pas, je viens pour reprendre mon canotier...

Aucune des trois femmes ne répondit, et son assurance le quitta :

— Enfin, quoi, vous pouvez bien me dire un mot, quand ça ne serait que bonjour!

Gilberte avança d'un pas :

— Non, dit-elle, vous ne venez pas reprendre votre canotier. Vous en avez un autre à la main. Et vous n'attendez pas après un canotier. Vous venez pour me faire encore de la peine.

— Çà! éclata Mme Alvarez, c'est plus que je ne peux en entendre. Comment, Gigi, voilà un homme qui, n'écoutant que son grand cœur...

— S'il te plaît, grand-mère, rien qu'une minute j'ai fini tout de suite...

Elle tira machinalement sa jupe, assura la boucle de sa ceinture et marcha jusqu'à Gaston :

— J'ai réfléchi, tonton, j'ai même beaucoup réfléchi...

Il l'interrompit, pour l'empêcher de dire ce qu'il redoutait d'entendre :

— Je te jure, ma chérie...

— Non, ne me jurez pas. J'ai réfléchi que j'aimais mieux être malheureuse avec vous que sans vous. Alors...

Elle s'y reprit à deux fois :

— Alors... Voilà. Bonjour... Bonjour, Gaston.

Elle lui tendit sa joue comme d'habitude. Il l'embrassa un peu plus longtemps que d'habitude, jusqu'à ce qu'il la sentît devenir attentive, puis immobile et douce dans ses bras. Mme Alvarez parut vouloir s'élancer, mais la petite main impatiente d'Alicia la retint :

— Laisse. Ne t'en mêle plus. Tu ne vois pas que ça nous dépasse?

Elle montrait Gigi qui reposait, sur l'épaule de Lachaille, sa tête confiante et la richesse de ses cheveux épars.

L'homme heureux se tourna vers Mme Alvarez :

— Mamita, dit-il, voulez-vous me faire l'honneur, la faveur, la joie infinie, de m'accorder la main...

L'ENFANT MALADE

L'ENFANT qui devait mourir voulut s'accoter un peu plus haut à son oreiller, mais il ne le put. Sa mère entendit sa prière sans paroles et le soutint. Une fois de plus, l'enfant promis à la mort eut tout près du sien le visage maternel qu'il croyait ne plus regarder, les cheveux châtains tirés sur la tempe comme ceux des anciennes petites filles, la joue longue à peine poudrée, un peu maigre, l'angle très ouvert des yeux bruns, si sûrs de maîtriser leurs inquiétudes qu'ils en oubliaient souvent de se surveiller...

— Tu es rose, ce soir, mon petit garçon, dit-elle gaiement.

Mais ses yeux bruns restaient empreints d'une fixité et d'une crainte que le petit garçon connaissait bien.

Pour éviter de soulever sa nuque faible, le petit garçon logea dans l'angle de ses paupières ses prunelles aux grands iris vert-de-mer, et rectifia gravement :

— Je suis rose à cause de l'abat-jour.

Madame Maman regarda son fils avec douleur, lui reprochant en elle-même d'effacer, par un mot, cette couleur rose qu'elle lui voyait aux joues. Il avait refermé les yeux, et l'apparence du sommeil lui rendait son visage

d'enfant de dix ans. "Elle croit que je dors." Sa mère
se détourna du blanc petit garçon, doucement et comme
si elle craignait qu'il ne sentît la brisure du fil du regard :
"Il croit que je crois qu'il dort... " Parfois ils jouaient à
se tromper ainsi : "Elle croit que je ne souffre pas ",
pensait Jean, et sur ses pommettes ses cils grésillaient
de souffrance. Cependant Madame Maman pensait :
" Comme il sait bien imiter l'enfant qui ne souffre pas !
Une autre mère s'y tromperait. Mais moi... "

— Aimes-tu cette odeur de lavande que j'ai vaporisée ?
Ta chambre sent bon.

L'enfant acquiesça sans parler, l'habitude et l'obligation
de ménager ses forces l'avaient doté à la longue d'un
répertoire de très petits signes, une mimique délicate et
compliquée comme le langage des animaux. Il excellait
à faire de ses sens un usage féerique et paradoxal.

Pour lui les rideaux de mousseline blanche, frappés
de soleil vers dix heures du matin, rendaient un son rose,
et la reliure d'un ancien *Voyage sur les rives de l'Amazone*,
écorchée, en veau blond, versait à son esprit une saveur
de crêpe chaude... L'envie de boire s'exprimait par trois
" claquements " de paupières. Manger... oh ! pour l'envie
de manger, il n'y pensait pas. Les autres besoins du petit
corps mol et défait avaient leur muette et pudique télé-
graphie. Mais tout ce qui pouvait encore porter, dans une
existence d'enfant condamné, le nom de superflu, de plaisir
et de jeu, gardait une dévotion à la parole humaine, recher-
chait des mots justes et variés, au service d'une voix harmonieuse et comme mûrie par le long mal, à peine plus
aiguë qu'une voix de femme. Jean avait choisi les mots
qui convenaient au jeu de dames, au " solitaire " étoilé
de billes de verre, au trou-madame, à maints divertisse-

ments désuets qui employaient l'ivoire, le bois de citronnier et la marqueterie. D'autres vocables, pour la plupart
secrets, s'appliquaient au jeu de " patience " suisse, cin-
quante-deux petites cartes glacées, encadrées et filetées
d'or comme une boiserie de salon. Les reines s'y coiffaient
en bergères, chapeaux de paille relevés d'une rose, et les
valets-bergers portaient houlette. A cause des rois barbus,
hauts en couleur avec de petits yeux durs de propriétaires
montagnards, Jean avait inventé une " patience " qui
excluait les quatre monarques rustauds.

"Non, pensa-t-il, ma chambre ne sent pas vraiment
bon. Ce n'est pas la même lavande. Il me semble qu'autrefois, quand je vivais debout... Mais je peux avoir
oublié. "

Il enfourcha un nuage de senteur qui passait à portée
de ses petites narines blanches et pincées, et s'éloigna
rapidement. Sa vie alitée le pourvoyait de toutes les délec-
tations de la maladie, y compris la dose de malice filiale
dont un enfant entend ne jamais se priver, et il ne donnait
là-dessus aucun éclaircissement.

A califourchon sur la nue parfumée, il errait dans l'air
de la chambre, puis il s'y ennuya, s'évada par l'imposte
de vitre dépolie et longea le couloir, suivi dans son vol
par celui d'une grosse mite d'argent, qui éternuait dans
le sillage de la lavande. Pour la distancer, il pressa de ses
genoux les flancs de la nue de senteur, avec une vigueur
et une aisance de cavalier que lui refusaient, en présence
des êtres humains, ses longues jambes inertes d'enfant
à demi paralysé. Évadé de sa vie passive, il savait chevaucher, passer au travers des murailles; il savait surtout
voler. Le corps incliné comme celui du plongeur qui
descend à travers l'onde, il perçait nonchalamment, du

front, un élément dont il connaissait les ressources et les résistances. Bras ouverts, il lui suffisait de biaiser l'une ou l'autre pour modifier la direction de son vol, et d'un léger coup de reins il évitait le choc d'atterrissage. D'ailleurs il atterrissait rarement. Une fois, il s'était laissé imprudemment descendre, trop près de terre, au-dessus d'une prairie que paissaient des vaches.

Si près de terre, qu'il avait eu contre son visage une belle face étonnée de vache blonde, ses cornes en croissant, ses yeux qui miraient l'enfant volant comme deux lentilles grossissantes, tandis que les pissenlits en fleur, à même l'herbe, venaient à sa rencontre et s'élargissaient comme de petits astres... Il avait eu le temps de prendre appui à pleins doigts sur les hautes cornes pour se rejeter à reculons dans l'air et il se souvenait encore de la tiédeur des cornes lisses, de leur pointe émoussée et comme bienveillante. L'aboiement du chien berger, mouillé de rosée, qui accourait pour protéger sa vache, s'était perdu à mesure que l'enfant volant remontait dans son ciel familier. Jean se souvenait très nettement qu'il avait dû, ce matin-là, faire force de ses bras rémiges pour rebrousser chemin à travers une aube couleur de pervenche, planer sur une ville sommeillante, et tomber sur son lit laqué au creux duquel il s'était fait très mal, un mal tenace, brûlant sur les reins, tenaillant le long des fémurs, et tel qu'il n'avait pu cacher, à la pénétrante tendresse de Madame Maman, les deux traces nacrées de ses larmes...

— Mon petit garçon a pleuré?

— En rêve, Madame Maman, en rêve...

La nue de senteur agréable atteignit promptement le bout du corridor, buta du museau contre la porte qui donnait accès dans la cuisine.

— Ho ho! Ho ho! Quelle brute! Ah! ces lavandes mâtinées de serpolet! Elles vous casseraient la figure si on ne les tenait pas. Est-ce que c'est comme ça qu'on traverse une porte de cuisine?

Il serrait entre ses genoux, durement, la nue repentante et la guidait dans la région supérieure de la cuisine, parmi l'air attiédi qui séchait la lessive près du plafond. En baissant le front pour passer entre deux pans de linge, Jean rompit adroitement un cordon de tablier et le passa en guise de mors dans la bouche de la nue. Une bouche n'est pas toujours une bouche, mais un mors est toujours un mors, et peu importe ce qu'il bride.

"Où allons-nous? Il faut que nous soyons rentrés pour le dîner, et il est déjà tard... Pressons l'allure, Lavande, pressons... "

La porte de service franchie, il se fit un jeu de descendre l'escalier tête première, puis s'aida de quelques glissades sur le dos. La nue de lavande, effarée de ce qu'on lui demandait, renâclait un peu. "Oh grosse pouliche de montagne! " disait l'enfant, et il éclatait de rire, lui qui dans sa vie cloîtrée ne riait jamais. En descendant follement il tira au passage les poils mêlés d'un chien de la maison, celui qui savait, disait-on, descendre jusqu'au trottoir, "faire ses besoins tout seul ", remonter chez ses parents et gratter la porte. Surpris par la main de Jean, il cria et se rangea contre la rampe.

— Tu viens avec nous, Riki? Je te prends en croupe.

D'une petite main puissante il enleva le chien, le jeta sur la croupe ballonnée et vaporeuse de la lavande qui, éperonnée de deux talons nus, dégringola les deux derniers étages. Mais là le chien pris d'épouvante sauta à bas de la croupe-édredon et remonta vers son logis en hurlant.

— Tu ne sais pas ce que tu refuses! lui cria Jean. Moi aussi, dans les premiers temps, j'avais peur, mais maintenant... Regarde, Riki!

Cavalier et monture se jetèrent contre l'épaisse porte de la rue. A l'étonnement de Jean, ils se heurtèrent, non au malléable obstacle de chêne complaisant, de ferrures fondantes, de gros verrous qui disaient : " Oui, oui ", en glissant mollement dans leurs gaines, ils rencontrèrent l'inflexible barrage d'une voix fermement ciselée qui chuchotait : " ... Qu'il s'est endormi... "

Suffoqué par le choc, navré du haut en bas, Jean perçut la cruelle consistance des deux mots " qu'il s'est, Kilcé, Kilsé ", plus tranchants qu'une lame. Auprès d'eux le mot " en... dor... mi " gisait rompu en trois tronçons.

" En...dor...mi..., répéta Jean. C'est fini de la promenade à cheval, voilà l'En...dor...mi, roulé en boule! Adieu... Adieu... "

Il n'eut pas le loisir de se demander à qui il jetait cet adieu. Le temps le pressait horriblement. Il appréhendait l'atterrissage. La nue fourbue manqua des quatre pieds qu'elle n'avait jamais eus; avant de se disperser en gouttelettes froides elle jeta son cavalier, d'un tour de ses reins qui n'existaient pas, au vallon du lit laqué, et Jean gémit encore une fois d'un contact brutal...

— Tu dormais si bien... dit la voix de Madame Maman.

Une voix, pensait son petit garçon, toute mélangée de lignes droites et de lignes courbes — une courbe, une droite — une ligne sèche — une ligne humide... Mais jamais il n'essaierait d'expliquer cela à Madame Maman.

D'abord parce qu'elle ne comprendrait pas, ensuite parce qu'il faut éviter d'inquiéter Madame Maman.

— Tu t'es réveillé en te plaignant, mon chéri, est-ce que tu avais mal?

Il fit signe que non, en agitant de droite à gauche son mince index, blanc et soigné. D'ailleurs la souffrance se calmait. Choir sur ce petit lit un peu revêche, il y était en somme habitué. Et que pouvait-on attendre d'une grosse nue bouffie et de ses manières de rustaude parfumée?

"La prochaine fois, pensa Jean, je monterai la Grande-Patinoire." Ainsi se nommait, aux heures de paupières closes et de l'écran glissé entre l'ampoule claire et l'abat-jour, un immmense coupe-papier nickelé, si grand qu'au lieu de deux m, il lui en fallait trois et souvent quatre pour son qualificatif.

— Madame Maman, vous voulez avancer un peu la Grande-Pat..., je veux dire le grand coupe-papier, sous l'abat-jour? Merci beaucoup.

Pour préparer à loisir sa prochaine promenade, Jean tourna sa nuque sur l'oreiller. On coupait très court ses cheveux blonds par-derrière, pour éviter qu'ils se feutrassent. Le haut de sa tête, ses tempes, et ses oreilles se couvraient de boucles d'un blond doux, vaguement verdissant, un blond de lune hivernale, bien accordé au vert-de-mer de ses yeux, à son visage blanc comme un pétale.

"Qu'il est beau!" murmuraient les amies de Madame Maman. "Il ressemble d'une façon frappante à l'Aiglon..." Là-dessus Madame Maman souriait de dédain, sachant bien que l'Aiglon, un peu lippu comme sa mère l'impératrice, eût envié les lèvres jointes, arquées, effilées aux coins, qui embellissaient Jean... Elle disait avec hauteur : "Il y a peut-être quelque chose... oui, dans le front... Mais, Dieu soit loué, Jean, lui, n'est pas tuberculeux!"

Quand elle eut rapproché, d'une main exercée, la lampe et le grand coupe-papier, Jean vérifia la présence, sur la longue lame chromée, d'un reflet rose comme neige à l'aurore, accidentée de bleu, un étincelant paysage à la menthe.

Puis il posa sa tempe gauche sur le ferme oreiller, écouta le son de gouttes et de fontaines que chantaient les brins de crin blanc, à l'intérieur du coussin, sous le poids de sa tête, et ferma à demi les yeux.

— Mais, mon petit garçon, il va être le moment de ton dîner..., dit en hésitant Madame Maman.

L'enfant malade sourit à sa mère avec indulgence. Il faut tout pardonner aux personnes bien portantes. D'ailleurs il était encore vaguement concassé de sa chute. " J'ai bien le temps ", pensa-t-il, et il accentua son sourire, au risque de voir Madame Maman — devant certains sourires trop achevés, trop chargés d'une sérénité à laquelle elle donnait, seule, un sens — perdre contenance et sortir précipitamment de la chambre, en se cognant au battant de la porte.

— Si cela t'est égal, mon chéri, j'expédierai mon dîner toute seule dans la salle à manger, quand tu auras dîné sur ton plateau...

" Mais oui, mais oui ", répondit le petit index blanc et condescendant, en se pliant deux fois.

" Nous savons, nous savons ", dirent aussi les deux paupières bordées de cils, en clignant deux fois. " Nous savons ce que c'est qu'une dame Maman trop sensible, aux yeux de laquelle montent tout à coup une paire de larmes, comme une paire de pierres précieuses... Il y a bien des pierres précieuses pour les oreilles... Des boucles d'yeux, Madame Maman a des boucles d'yeux quand elle

pense à moi. Elle ne s'habituera donc jamais à moi?...
Qu'elle est peu raisonnable... "

Comme Madame Maman se penchait sur lui, il leva
ses bras, libres d'entraves, et se suspendit rituellement
au cou maternel, qui se releva fièrement chargé et hissa
le mince corps de l'enfant trop grand, le fin buste suivi
des longues jambes, inertes maintenant mais qui savaient
étreindre et maîtriser les flancs d'un nuage ombrageux...

Puis Madame Maman contempla un moment sa gracieuse œuvre infirme, assise contre un dur oreiller en
forme de pupitre, et s'écria :

— A la bonne heure! Ton plateau vient tout de suite.
D'ailleurs, je vais presser Mandore qui n'est jamais exacte!

Elle sortit encore une fois.

" Elle sort, elle entre... Elle sort surtout. Elle ne veut
pas me quitter, mais elle ne cesse de sortir de ma chambre.
Elle s'en va essuyer sa paire de larmes. Elle a cent raisons
de sortir de ma chambre; si elle en manquait, par hasard,
je lui en fournirais mille... Mandore n'est jamais en
retard. "

En tournant la nuque avec précaution, il regarda entrer
Mandore. N'était-il pas juste et inévitable que ventrue,
dorée, sonore à tous chocs, harmonieuse de par sa belle
voix, de par ses yeux lustrés comme le bois précieux des
luths, cette forte servante répondît au nom de Mandore?
" Sans moi, pensait Jean, elle en serait encore à s'appeler
Angélina. "

Mandore traversa la chambre, sa jupe rayée de jaune
et de marron retentit, au frôler des meubles, d'amples
sons de violoncelle que Jean était seul à percevoir. Elle
posa en travers du lit la petite table à pieds bas, nappée
de linge brodé, qui soutenait une jatte fumante.

— Le voilà, ce dîner!

— C'est quoi?

— C'est d'abord la phosphatine, tiens donc! Après...
Vous verrez bien.

L'enfant malade reçut sur tout son corps mi-couché
le réconfort d'un regard capiteux et brun, vaste, désal-
térant : "Que c'est bon, cette bière brune des yeux de
Mandore! Comme elle est gentille, elle aussi, pour moi!...
Comme tout le monde est gentil pour moi!... S'ils pouvaient se retenir un peu..." Épuisé sous le faix de la gen-
tillesse universelle, il ferma les yeux, et les rouvrit au
tintement des cuillers. Cuillers à potions, cuillers à potage,
cuillers à entremets... Jean n'aimait pas les cuillers, exception faite d'une bizarre cuiller d'argent à longue tige
torse, qui d'un bout s'achevait en petite rondelle guillo-
chée. "C'est un écrase-sucre, disait Madame Maman. —
Et l'autre bout de la cuiller, Madame Maman? — Je ne
sais pas bien. Je crois que c'était une cuiller à absinthe... "
Et son regard glissait presque toujours à ce moment-là
vers un portrait photographique du père de Jean, le mari
qu'elle avait perdu si jeune, "ton cher papa, mon Jean",
et que Jean désignait froidement par les mots — des mots
pour le silence, pour le secret, — " ce monsieur accroché
dans le salon ".

A part la cuiller à absinthe, — absinthe, absinthe,
abside, sainte abside — Jean ne se plaisait qu'aux four-
chettes, démons quatre fois cornus, sur lesquels s'empa-
laient la noisette de mouton, un petit poisson convulsé
dans sa friture, un cadran de pomme et ses deux yeux de
pépins, un croissant d'abricot en son premier quartier,
givré de sucre...

— Jean chéri, tends ton bec...

Il obéit en fermant les yeux, but un remède à peu près insipide, sauf une passagère mais inavouable fadeur qui masquait le pire... Dans le secret de son vocabulaire, Jean appelait cette potion "le ravin aux cadavres". Mais rien n'aurait pu arracher de lui, jeter pantelantes aux pieds de Madame Maman des syllabes aussi affreuses.

La soupe phosphatée suivit, inévitable, grenier mal balayé, calfaté de vieille farine dans les coins. Mais on lui pardonnait tout, à celle-là, en faveur de ce qui flottait d'irréel sur sa bouillie claire : un souffle floral, le poudreux parfum des bleuets que Mandore achetait par bottillons dans la rue, en juillet, pour Jean...

Un petit cube d'agneau grillé passa vite. "Courez, agneau, courez, je vous fais bonne figure, mais descendez en boule dans mon estomac, je ne vous mâcherais pour rien au monde, votre chair bêle encore, et je ne veux pas savoir que vous êtes rose à l'intérieur!"

— Il me semble que tu manges bien vite, ce soir, Jean?

La voix de Madame Maman tombait du haut de la pénombre, peut-être de la corniche en plâtre coquillé, peut-être de la grande armoire... Une mansuétude particulière de Jean concédait à Madame Maman le pouvoir d'atteindre, en haut de l'armoire, un climat qui était celui du linge de la maison. Elle y parvient au moyen de l'échelle double, devient invisible derrière le vantail de droite, et redescend chargée de grandes dalles de neige, taillées à même l'altitude. Son ambition se borne à cette récolte. Jean va plus loin, plus haut, s'élance seul vers des cimes candides, pénètre dans une paire impaire de draps, reparaît dans le pli bien cylindré d'une paire paire, — et quelles glissades, et quels vertiges entre les rigides serviettes

damassées, — et sur telle alpe à rinceaux glacés et bordures
grecques, quel grignotage des brins de lavande sèche,
de leurs fleurs égrenées, des grosses et crémeuses racines
d'iris...

C'est de là qu'il redescend à l'aube, tout raidi de froid,
pâle dans son lit, faible et malicieux : " Jean!... Mon Dieu,
il se sera encore découvert en dormant! Mandore, vite
une boule chaude! " Tout bas, Jean s'applaudit d'être
toujours rentré à temps, et note, sur une page invisible
du carnet caché dans le coin actif et battant de son flanc,
qu'il appelle sa " poche de cœur ", les péripéties de son
ascension, la chute des étoiles et le tintement orangé des
cimes touchées par l'aurore...

— Je mange vite, Madame Maman, parce que j'ai
faim.

Car il est vieux en toutes ruses, et ne s'agit-il pas qu'aux
mots " j'ai faim ", Madame Maman rougisse de joie?

— Si c'est vrai, mon chéri, je regrette de ne te donner
pour ton dessert que de la marmelade de pommes. Mais
j'ai recommandé à Mandore d'ajouter du zeste de citron
et un petit bâton de vanille pour parfumer.

Jean fit front, résolument, à la marmelade de pommes,
acide jeune fille de province âgée d'environ quinze ans,
qui, comme les autres filles du même âge, n'avait pour le
garçon de dix ans que hauteur et dédain. Mais ne les lui
rendait-il pas? N'était-il pas armé contre elle? Ne boitil-
lait-il pas agilement, en s'appuyant sur le bâton de vanille?
" Toujours trop court, toujours, ce petit bâton ", mur-
mura-t-il sur son mode insaisissable...

Mandore revenait, et sa jupe ventrue, à larges rayures,
s'enflait d'autant de côtes qu'un melon. En marchant,
elle faisait sonner, — pour Jean seul, tzromm, tzromm, —

les cordes intérieures qui étaient l'âme même, la riche harmonie de Mandore...

— Vous avez déjà fini votre dîner? A manger si vite, il vous remontera. Ce n'est pas votre habitude.

Madame Maman d'un côté, Mandore de l'autre, elles se tenaient près de son lit. "Qu'elles sont grandes!... Madame Maman prend peu de place en largeur, dans sa petite robe vin-de-bordeaux. Mais Mandore, outre sa caisse de résonance, s'augmente de deux anses arrondies, les mains à la taille." Jean défit, résolu, la marmelade de pommes, la dispersa sur l'assiette, la refoula en festons sur le marli doré, et encore une fois la question du dîner fut réglée.

Le soir d'hiver était descendu depuis longtemps. En savourant son demi-verre d'eau minérale, l'eau mince, furtive, légère, qu'il croyait verte parce qu'il la buvait dans un gobelet vert pâle, Jean calculait qu'il lui fallait encore un peu de courage pour fermer sa journée de malade. Encore la toilette pour la nuit, les soins minutieux et inéluctables, qui réclamaient l'aide de Madame Maman et même — tzromm, tzromm, — l'assistance sonore et gaie de Mandore; encore la brosse à dents, les gants-éponge, le bon savon et l'eau tiède, les précautions conjuguées qui préservent les draps de toute mouillure; encore les tendres inquisitions maternelles...

— Mon petit garçon, tu ne peux pas dormir ainsi, tu as justement la reliure du grand Gustave Doré qui te meurtrit le flanc, et cette nichée de petits volumes partout dans ton lit avec leurs coins pointus... Tu ne veux pas que je rapproche la table?

— Non, Madame Maman, merci, je suis très bien comme ça...

La toilette finie, Jean luttait contre l'ivresse de la fatigue. Mais il connaissait la limite de ses forces et ne tentait pas d'échapper aux rites qui préparaient la nuit et les prodiges qu'elle pouvait capricieusement engendrer. Il craignait seulement que la sollicitude de Madame Maman ne prolongeât, au-delà de ce qui était possible, la durée du jour, ne ruinât un édifice matériel de volumes, de meubles, un équilibre de lumière et d'ombre, assuré par Jean et révéré, qui lui coûtait ses derniers efforts jusqu'à l'heure extrême de dix heures. " Si elle reste, si elle insiste, si elle veut me soigner encore quand la grande aiguille penchera à droite du XII, je vais me sentir devenir blanc, plus blanc, encore plus blanc, mes yeux s'enfonceront, je ne pourrai même pas répondre les non - merci - très - bien - Madame - Maman - bonsoir, qui lui sont absolument nécessaires et... et... ce sera terrible, elle sanglotera... "

Il sourit à sa mère, et la majesté dont le mal gratifie les enfants qu'il frappe naquit dans le pli de flamme de sa chevelure, descendit sur ses paupières, se fixa amèrement sur ses lèvres. C'était l'heure où Madame Maman eût aimé s'abîmer dans la contemplation de son œuvre massacrée et ravissante...

— Bonne nuit, Madame Maman, dit l'enfant très bas.

— Tu es fatigué? Tu veux que je te laisse?

Il fit encore un effort, ouvrit grands ses yeux couleur de mer bretonne, manifesta de tous ses traits la volonté d'être beau et dispos, abaissa courageusement ses épaules hautes :

— Est-ce que j'ai l'air d'un garçon fatigué? Madame Maman, je vous le demande!

Elle ne répondit que d'un signe de tête espiègle, embrassa son fils et partit en emportant ses cris d'amour refrénés,

ses adjurations jugulées, ses litanies qui imploraient le
mal de s'éloigner, de dénouer les entraves des longues
jambes faibles, des reins amaigris mais non difformes,
de rendre au sang appauvri sa libre course dans les bran-
chages verts des veines...

— J'ai mis deux oranges sur l'assiette. Tu n'as pas
besoin que j'éteigne la lampe?

— Je l'éteindrai moi-même, Madame Maman.

— Mon Dieu, où ai-je la tête? Nous n'avons pas pris
ta température ce soir!

Une brume s'interposa entre la robe grenat de Madame
Maman et son fils. Ce soir-là, Jean brûlait de fièvre avec
mille précautions, un petit feu couvant au creux de ses
paumes, un wou-wou-wou battant dans les conques des
oreilles, et des fragments de couronne chaude autour des
tempes...

— Nous la prendrons demain sans faute, Madame Maman.

— La poire de la sonnerie est sous ton poignet. Tu es
bien sûr que tu ne préférerais pas, pendant les heures où
tu es seul, avoir la compagnie d'une veilleuse, tu sais,
une de ces jolies veill...

La dernière phrase du mot trébucha dans un pli d'obscurité, et Jean croula avec elle. " C'était pourtant un bien
petit pli, se reprochait-il en tombant. Je dois avoir une
grosse bosse derrière le cou. J'ai l'air d'un zébu. Mais
z'ai bu, oui, z'ai bien vu que Madame Maman n'a rien bu,
non, n'a rien vu tomber. Elle était bien trop occupée de
tout ce qu'elle emporte le soir dans sa jupe en me quittant,
ses petites prières, les remarques qu'elle doit communiquer
au médecin, le grand chagrin que je lui fais en ne voulant
personne près de moi, la nuit... Tout ça, qu'elle emporte

dans sa jupe relevée, et qui déborde et qui roule sur le tapis, pauvre Madame Maman... Comment lui faire comprendre que je ne suis pas malheureux? Il paraît qu'un garçon de mon âge ne peut ni vivre couché, ni être pâle et privé de ses jambes, ni souffrir, sans être malheureux. Malheureux... je l'étais encore quand on me promenait dans une voiture... Une pluie de regards m'inondait. Je me rétrécissais pour en recevoir un peu moins. Une grêle de " Qu'il est joli! " et de " Comme c'est dommage! " me prenait pour cible... Maintenant, je n'ai pour malheurs que les visites de mon cousin Charlie, ses genoux écorchés, ses souliers à clous, et ce mot " boy-scout ", moitié acier, moitié caoutchouc, dont il m'écrase... Et cette jolie petite fille qui est née le même jour que moi, qu'on appelle tantôt ma sœur de lait, tantôt ma fiancée. Elle travaille la danse. Elle me voit couché, alors elle se dresse sur le bout de ses orteils, et dit : " Regarde comme je fais des pointes. " Mais ce sont des taquineries. Une heure vient, le soir, où les taquineries s'endorment. Voici l'heure où tout est bien.

Il éteignit la lampe et regarda paisiblement monter autour de lui sa compagnie nocturne, le chœur des formes et des couleurs. Il attendit l'éclosion symphonique, et la foule que Madame Maman nommait sa solitude. Il retira de dessous son bras la poire de la sonnette, jouet de malade en émail clair-de-lune, et la posa sur la table de chevet. " Maintenant, éclaire! " commanda-t-il.

Elle n'obéit pas tout de suite. La nuit extérieure n'était pas si noire qu'on ne distinguât, balancée derrière une des vitres, l'extrême branche d'un marronnier du boulevard, défeuillée, qui demandait secours. Sa pointe renflée affectait la forme d'un débile bouton de rose. " Oui, tu vas encore chercher à m'apitoyer en me disant que tu es le bourgeon de la saison prochaine. Tu sais pourtant combien je suis dur à tout ce qui me parle de l'an prochain. Reste dehors. Disparais. Sombre! Comme dirait mon cousin : joues-en un air... "

Sa pureté se dressa de toute sa hauteur, flétrit d'une flétrissure de plus ce cousin aux genoux écorchés et violâtres, et son vocabulaire émaillé de " Et comment, je mets les bâtons, très peu pour moi, ah! mince! " et surtout de " pensez! " et de " je comprends! ", comme si pensée et pénétration eussent pu ne pas fuir épouvantées, de toutes leurs pattes délicates de grillons savantissimes, un tel garçon chaussé de clous et de boue sèche...

A la vue seule du cousin Christian, Jean essuyait ses doigts à son mouchoir, comme pour les débarrasser d'un sable grossier. Car Madame Maman et Mandore, interposées entre l'enfant et la laideur, l'enfant et les verbes outrageants, l'enfant et les lectures de basse sorte, lui avaient donné de ne connaître et chérir que deux luxes : la délicatesse et la souffrance. Protégé, précoce, il s'était emparé promptement des hiéroglyphes de la typographie, allant aussi follement au travers des livres qu'à chevaucher les nuées, forcer les paysages inscrits sous les surfaces polies, ou rassembler autour de lui ce qui, pour tels privilégiés, peuple secrètement l'air.

Il ne se servait guère du stylo d'argent gravé de ses initiales, depuis le jour où sa véloce et mûre écriture avait ému de surprise et pour ainsi dire offensé le médecin aux mains froides : " Est-ce là l'écriture d'un jeune enfant, Madame? — Oui, oui, docteur, mon fils a une écriture très formée... " Et les yeux de Madame Maman, anxieux, s'excusaient : " Ce n'est pas dangereux, docteur, au moins? "

Il se retenait aussi de dessiner, craignant les trahisons,

la loquacité d'un croquis, car, ayant esquissé le portrait
de Mandore avec tout son clavier de résonances intérieures,
la silhouette d'une pendule d'albâtre à quatre colonnes
en pleine action, — rude galopeuse! — le chien Riki aux
mains du coupeur de cheveux et coiffé, comme Jean lui-
même, "à l'Aiglon", Jean, effrayé de la ressemblance de
ses essais, avait prudemment déchiré ses premières œuvres.

— Vous n'aimeriez pas un album, mon jeune ami,
et des crayons de couleur? C'est un jeu distrayant, et bien
de votre âge." A la suggestion qu'il jugea extra-médicale,
Jean ne répondit que par un regard serré entre ses cils,
un grave et viril regard qui mesurait le médecin donneur
de conseils : " Ce n'est pas mon gentil coupeur de cheveux
qui se permettrait de pareils propos! " Il ne pardonnait
pas au médecin d'avoir osé un jour le questionner, hors
de la présence maternelle : " Et pourquoi diable appelez-
vous votre mère madame? " Le regard mâle et courroucé,
la faible voix musicale s'étaient mis d'accord pour répondre :
" Je ne pensais pas que le diable eût à se mêler de cela. "

Le gentil faucheur de cheveux s'acquittait autrement
de sa mission, et contait à Jean sa vie dominicale. Tous
les dimanches, il pêchait à la ligne, autour de Paris. D'une
volte étincelante de ses ciseaux, il enseignait le geste qui
dépêche au loin le bouchon et l'appât, et Jean fermait
les yeux sous la fraîcheur des gouttes d'eau, épanouies
en roues quand, victorieusement, le pêcheur relevait sa
ligne chargée...

— Quand vous serez guéri, monsieur Jean, je vous
emmène avec moi au bord de la rivière...

— Oui, oui, acquiesçait Jean, les yeux fermés...

" Quel besoin ont-ils tous de me guérir? Je *suis* au bord
de la rivière. Que ferais-je d'un chevesne-comme-voilà-

ma-main et d'un brocheton-comme-voilà-votre-coupe-
papier? "

— Gentil coupeur de cheveux, racontez-moi encore...

Et il écoutait l'histoire des papillons crépusculaires,
collés sous l'arche d'un petit pont, appâts impromptus qui
avaient capturé " un wagon " de truites, moyennant un
bâton de coudrier coupé dans la haie et trois bouts de
ficelle noués l'un à l'autre...

Sur l'accompagnement agaçant et frais des ciseaux
gazouilleurs, le récit commençait :

— Vous vous en allez jusqu'à un méchant bras de
rivière large comme-voilà-ma-cuisse, qui s'élargit à la tra-
versée du pré. Vous voyez deux-trois saules ensemble,
et un peu de taillis : c'est là...

" C'est là, répétait Jean en lui-même. Je sais bien que
c'est là... "

Autour des deux-trois saules, Jean avait transplanté,
dès le premier jour, les grands épis de l'aigremoine eupa-
toire, extirpés du grand Album botanique, et les chanvres
à fleurs roses, qui attirent et endorment les papillons et
les enfants fatigués. La tête monstrueuse et élaguée du
plus vieux saule, sous sa couronne de convolvulus blancs,
grimace pour Jean seul. Un saut de poisson crève la
peau miroitante de la rivière, deux sauts de poisson... Le
gentil coiffeur, occupé à son appât, les a entendus et se
retourne :

— I's'moquent de moi, ceux-là!... Mais je les aurai.

— Non, non, proteste Jean, c'est moi qui ai jeté deux
petits cailloux dans l'eau...

La rainette chante, l'après-midi imaginaire passe...

" La rainette chante, rêve Jean, quand elle s'écrit avec
un *a* et qu'elle est assise invisible sur son radeau de nénuphar.

L'autre reinette, la grise, pend toute ronde au bout d'une
branche de pommier, et elle ne chante pas... "

Le faucheur de toison blonde, la rivière et le pré s'effa-
çaient comme un songe, laissant sur le front de Jean un
parfum banal et doux, une houppe ondulée de cheveux
blonds... Jean, éveillé, écoutait un chuchotement, venu
du salon, un long colloque bas entre Madame Maman
et le docteur, d'où s'échappait un mot qui venait, frétillant
et crépu, retrouver Jean, le mot " crise ". Parfois, il
entrait cérémonieux, féminin, paré pour la distribution
des prix, un *h* sur l'oreille, un *y* au corsage : Chryse,
Chryse Saluter. " Vraiment? Vraiment? ", disait la voix
pressante de Madame Maman. " J'ai dit : peut-être... "
répliquait la voix du docteur, une voix mal d'aplomb sur
un pied, et vacillante. " Une crise salutaire, mais dure... "
Chryse Saluter-Médure, jeune créole de l'Amérique tropi-
cale, gracieuse dans sa robe de lingerie blanche à volants...

La subtile oreille de l'enfant recueillait aussi le nom
d'une autre personne, qu'il convenait sans doute de tenir
secret. Un nom incomplet, quelque chose comme Alyzie
Effanti, Lysie Infantil, et il avait fini par croire qu'il s'agissait d'une petite fille accablée, elle aussi, d'immobilité
douloureuse, dotée de deux longues jambes inutiles, et
de qui l'on parlait à l'écart pour qu'il ne fût pas jaloux...

Obtempérant à l'ordre reçu, la branche extrême du
marronnier et son message du printemps à venir avaient
naufragé dans la nuit. Quoique Jean l'en eût requise une
seconde fois, la sonnette en forme de poire n'illuminait
pas, de son feu opalin et mollement délimité, la table de
chevet porteuse d'eau minérale, de jus d'orange, du grand
coupe-papier chromé qui couvait une aurore alpestre, de
la montre myope au cristal bombé et du thermomètre...

Aucun livre sur la table n'attendait le choix de Jean. Les
textes imprimés, quel que fût leur format et leur poids,
dormaient clos, veillaient ouverts dans la même couche
que l'enfant malade. Une grande tuile de reliure, au pied
du lit, pesait parfois sans qu'il s'en plaignît sur ses jambes
qu'une vie avare irriguait.

De ses bras restés valides, il tâtonna autour de lui,
ramena quelques tomes brochés, haillonneux et tièdes.
Un volume ancien darda, de dessous l'oreiller, sa corne
amicale. Les brochés, tassés en coussin, prirent leur place
contre une petite hanche de garçonnet maigre, et la tendre
joue enfantine se pressa contre la reliure de veau blond,
qui datait d'un siècle. Sous son aisselle, Jean vérifia la
présence d'un dur compagnon favori, un volume trapu
comme un pavé, bougon, robuste, qui trouvait le lit trop
doux et s'en allait généralement finir sa nuit par terre,
sur le tapis de chèvre blanche.

Angles des cartonnages, salières, vallons et sinus d'une
fragile anatomie s'emboîtaient de bonne amitié. La meur-
trissure passagère faisait prendre patience à la douleur
chronique. Certains petits supplices volontaires, infligés
entre l'oreille et l'épaule par le veau blond cornu, dépla-
çaient, amendaient les tourments qu'enduraient la même
région et le misérable petit dos, ailé d'omoplates saillantes...
" Qu'as-tu là? disait Madame Maman, c'est comme un
coup. Je n'arrive pas à comprendre, vraiment... " De
bonne foi, l'enfant meurtri cherchait, un moment, puis se
répondait en lui-même : " Là... Mais oui, voyons... C'est
cet arbre, que je n'ai pas évité... C'est ce petit toit, auquel
je m'accoudais pour voir rentrer les moutons... C'est ce
gros râteau, qui m'est tombé sur la nuque, pendant que
je buvais à la fontaine... Encore heureux que Madame Ma-

man n'ait pas vu au coin de mon œil la petite entaille,
la trace du bec de l'hirondelle que j'ai heurtée en l'air...
Je n'ai pas eu le temps de l'éviter, elle était dure comme
une faux. Il est vrai que c'est si petit, un ciel... "

La rumeur de ses nuits montait, attendue, sinon fami-
lière, variable selon le songe, la faiblesse, la fièvre, la fantaisie d'une journée que Madame Maman croyait tristement pareille aux autres journées. Ce nouveau soir ne
ressemblait en rien à la soirée d'hier. L'obscurité est riche
de noirs sans nombre. " Le noir est tout violet, cette nuit.
J'ai si mal dans... dans quoi? Dans le front. Non, qu'est-ce
que je dis? C'est toujours mon dos... Mais non, c'est un
poids, deux poids qui sont pendus à mes hanches, deux
poids en forme de pomme de pin comme ceux de la com-
toise de la cuisine. Éclaireras-tu, toi, à la fin? "

Pour intimer un ordre à la poire d'émail, il prit appui,
de la tempe, sur la reliure de cuir blond, et frémit de la
trouver si froide : " Si elle est glacée, c'est que je brûle. "
Aucune lueur ne coulait du fruit d'émail sur la table
de chevet. " Qu'a-t-elle? Et qu'ai-je donc, pour que déjà
la porte d'entrée, cet après-midi, m'ait résisté? " Il étendit
la main dans l'air nocturne et peuplé, trouva sans tâtonner
le fruit ténébreux. Changeant capricieusement de source,
la lumière s'éveilla sur la grosse face myope de la montre
sphérique. " De quoi te mêles-tu? " murmura Jean.
" Contente-toi de savoir dire l'heure. "

La montre mortifiée s'éteignit, et Jean poussa le soupir
de la puissance satisfaite. Mais de ses flancs durcis il n'ob-
tint qu'un gémissement. Aussitôt un vent qu'il reconnut
entre tous, le vent qui rompt les pins, échevèle les mélèzes,
couche et élève les dunes, se mit à mugir, emplit ses oreilles,
et les images, interdites au songe banal, qui ne franchit

pas la frange des paupières closes, s'insurgèrent, voulurent
bondir libres, mettre à profit la chambre illimitée. Les
unes, bizarrement horizontales, quadrillaient la foule verticale de celles qui s'étaient dressées d'un trait. "Des visions
écossaises", pensa Jean.

Son lit tremblait légèrement, ébranlé par la vibrante
ascension de la Grande Fièvre. Il se sentit allégé de trois
ou quatre années, et la peur, qu'il ne connaissait presque
pas, le sollicita. Il faillit appeler : " A l'aide, Madame Maman! On emporte votre petit garçon! "

Ni dans ses chevauchées, ni dans le riche domaine des
sons les plus étranges, — sons bossus porteurs d'ampoules
résonnantes sur leurs têtes, sur leurs dos de hannetons,
sons pointus à museaux de langoustes, — nulle part Jean
n'avait vu, subi, formé pareil essaim, que l'ouïe comme
une bouche dégustait, que l'œil épelait douloureux et
épris. "Au secours, Madame Maman! Aidez-moi! Vous
savez bien que je ne peux pas marcher! Je ne sais que
voler, nager, rouler de nuage en nuage... " Au même
moment, quelque chose d'indicible, d'oublié, s'émouvait
dans son corps, très loin, à des distances infinies, tout au
bout de ses jambes inutiles, un désordre de fourmis clair-
semées et perdues. "A l'aide, Madame Maman! "

Mais une autre âme, dont les décisions ne dépendaient
ni de l'impotence, ni des bienfaits maternels, fit un signe
hautain qui imposait le silence. Une contrainte féerique
maintint Madame Maman au-delà de la cloison, dans le
lieu où elle attendait, modeste et anxieuse, d'être aussi
grande que son petit garçon.

Il ne cria donc pas. Aussi bien les inconnus, les fabuleux
étrangers déjà commençaient leur rapt. Surgissant de
toutes parts, ils lui versèrent la brûlure et le gel, le supplice

mélodieux, la couleur comme un pansement, la palpitation
comme un hamac, et tourné déjà pour s'enfuir immobile
vers sa mère, il opta soudain et se jeta, au gré de son vol,
à travers les météores, les brumes, les foudres qui moelleux
l'accueillirent, se refermèrent, se rouvrirent, et tout près
d'être parfaitement heureux, ingrat et gai, épanoui dans
sa solitude d'enfant unique, ses privilèges d'infirme et
d'orphelin, il perçut qu'un petit bris triste, cristallin, le
séparait d'un bonheur dont il avait encore à apprendre
le beau nom concave et doré : la mort. Un petit bris triste
et léger, venu peut-être d'une planète à jamais quittée...
Le son clair et chagrin, lié à l'enfant qui devait mourir,
montait si fidèle que l'évasion éblouissante cherchait en
vain à le distancer.

Peut-être son voyage dura-t-il longtemps. Mais délivré
du sens de la durée, il ne jugeait que de sa variété. Souvent
il crut suivre un guide, indistinct et lui-même égaré. Alors
il gémissait de ne pouvoir assumer une responsabilité de
pilote, et il entendait son propre gémissement d'orgueil
abaissé, ou de fatigue telle qu'il abandonnait son périple,
quittait le sillage d'une rafale fusiforme, et se réfugiait
recru dans un coin.

Là, le prenait l'angoisse d'habiter un pays sans coin,
sans substances anguleuses, un courant glacial d'air obscur,
une nuit au sein de laquelle il n'était plus qu'un garçonnet
perdu et en pleurs. Puis il se dressait sur de nombreuses
jambes soudain multipliées, promues au grade d'échasses,
qu'une douleur tranchante fauchait par fagots cliquetants.
Puis tout sombrait, le vent aveugle l'informait seul de la
rapidité de sa course.

En passant d'un continent familier à une mer inconnue,

il surprenait quelques mots d'une langue qu'il s'étonnait de comprendre :

— Le bruit du gobelet brisé m'a réveillée...

— Madame voit qu'il claque des lèvres, Madame ne croit pas qu'il veut boire?

Il eût aimé savoir le nom de cette voix. "Madame... Madame... Quelle Madame?... " Mais déjà la vitesse buvait les paroles et leur souvenir.

Par une nuit pâle, à la faveur d'un arrêt dont ses tempes vibrèrent, il cueillit ainsi quelques syllabes humaines et voulut les redire. L'arrêt brusque l'avait mis douloureusement en face d'un objet rêche, consistant, interposé entre deux mondes nobles et inhabités. Un objet sans destination, rayé finement, hérissé de très petits pois, et mystérieusement complice — il le découvrit après — d'horribles mon-jeune-ami. "C'est une... je sais... une... manche... " Aussitôt il se rejeta ailé, tête basse, parmi le rassurant chaos.

Une autre fois, il vit une main. Munie de doigts fluets, la peau un peu gercée et les ongles tachés de blanc, elle repoussait une masse merveilleuse, qui accourait zébrée du fond de l'horizon. Jean se mit à rire. "Pauvre petite main, la masse n'en fera qu'une bouchée, pensez, une masse toute rayée noire et jaune, et qui a l'air si intelligente! " La petite main faible luttait, tous ses doigts écartés, et les zébrures parallèles commençaient à se distendre, à diverger et ployer comme des barreaux mous. Un grand hiatus s'ouvrit entre elles et avala la main fragile, que Jean se prit à regretter. Ce regret retardait son voyage, et d'un effort il s'élança de nouveau. Mais il emportait le regret, assimilable au tintement tenace d'un gobelet brisé autrefois, très longtemps auparavant. Dès

lors, et quels que fussent les remous, les abîmes qui ber-
çaient un vertige inoffensif, son voyage fut troublé par des
échos, des sons de pleurs, un soucieux essai de ce qui
ressemblait à une pensée, par un attendrissement importun.

Un aboiement sec déchira soudain les espaces, et Jean
murmura : "Riki..." Au loin il entendit une sorte de
sanglot qui répétait : "Riki! Madame, il a dit Riki!"
Un autre bégaiement redit : "Il a dit Riki... Il a dit Riki..."

Une petite force frémissante et dure, dont il perçut
la double préhension sous ses aisselles, sembla vouloir
le hisser vers une cime. Il s'en trouva meurtri, et grommela. S'il avait pu transmettre ses instructions à la petite
force et à ses angles, il lui eût enseigné qu'on ne traite pas
ainsi un voyageur de marque, qu'il est pour lui des véhi-
cules immatériels, des coursiers non ferrés, des traîneaux
chargés de tracer sur l'arc-en-ciel des ornières septico-
lores... Qu'il n'acceptait d'être molesté que par des... des
éléments dont la nuit seule déchaîne et contrôle la puissance... Que par exemple le ventre d'oiseau, qui vient de
se poser au long de sa joue, n'a aucun droit... Et d'ailleurs
ce n'est pas un ventre d'oiseau, puisqu'il n'est pas emplumé,
mais seulement borné par une mèche de long pelage...
"Ce serait, pensa-t-il, une joue, s'il était dans l'univers
une autre joue que la mienne... Je veux parler, je veux
renvoyer cette... cette fausse joue... Je défends qu'on me
touche, je défends..."

Pour assumer la force de parler, il aspira l'air par ses
narines. Avec l'air pénétra le prodige, l'enchantement de
la mémoire, l'odeur d'une chevelure, d'un épiderme qu'il
avait oubliée de l'autre côté du monde, et que précipitait
en lui un courant de souvenir torrentiel. Il toussa, luttant
contre la montée de ce qui nouait sa gorge, étanchait

une soif tapie au coin desséché de ses lèvres, salait ses
paupières débordantes et lui voilait, miséricordieusement,
son retour au dur lit d'atterrissage... Sur une étendue
sans nom une voix dit, répercutée à l'infini : "Il pleure...
mon Dieu, il pleure..." La voix sombra dans une sorte
d'orage d'où surgissaient des syllabes disjointes, des
hoquets, des appels à quelqu'un de présent, de caché...
"Vite, vite, venez!"

"Que de bruit, que de bruit", pensait l'enfant avec
blâme. Mais de plus en plus il serrait inconsciemment sa
joue contre la surface douce, lisse, limitée par une chevelure, et il buvait sur elle une amère rosée, versée perle à
perle... Il détourna sa tête, rencontra en route un val
étroit, un nid moulé juste à sa mesure. Le temps de nommer
en lui-même "l'épaule de Madame Maman", et il y perdit
connaissance, ou bien il s'y endormit.

Il revint à lui pour entendre sa propre voix, légère,
un peu moqueuse : "D'où donc venez-vous, Madame
Maman?"

Rien ne lui répondit, mais le délice d'un quartier
d'orange, glissé entre ses lèvres, lui rendit sensibles le
retour, la présence de celle qu'il cherchait. Il la sut inclinée
sur lui, dans cette attitude soumise qui lui ployait la taille,
lui fatiguait le dos.

Vite épuisé, il se tut. Mais déjà mille soucis l'assaillaient
et il vainquit sa faiblesse pour contenter le plus urgent :
"Vous avez changé mon pyjama, Madame Maman, pendant que je dormais? Quand je me suis couché, hier,
j'en avais un bleu et celui-ci est rose..."

— Madame, ce n'est pas croyable! Il se souvient qu'il
avait un pyjama bleu, la première nuit où...

Il négligea le reste de la phrase que venait de chuchoter

une grosse voix chaude et s'abandonna à des mains qui
lui retiraient son vêtement humide. Des mains aussi
adroites que des vagues, entre lesquelles il se berçait sans
poids ni dessein...

— Il est trempé... Roulez-le dans le grand peignoir,
Mandore, sans lui passer les manches.

— Le calo marche bien, Madame, n'ayez crainte. Et
je lui ai mis une boule chaude toute fraîche. Il est tout
mouillé, ma foi...

"Si elles savaient d'où je viens... On serait mouillé
à moins... ", pensait Jean. "Je voudrais bien me gratter
les jambes ou bien qu'on m'ôte ces fourmis... "

— Madame Maman...

Il recueillit le mutisme, l'immobilité vigilante qui
étaient la réponse de Madame Maman aux aguets :

— Voudriez-vous, s'il vous plaît... me gratter un peu
les mollets, parce que ces fourmis...

Du fond du silence, quelqu'un murmura, avec un respect
étrange :

— Il sent des fourmis... Il a dit les fourmis...

Serré dans le peignoir trop grand, il tenta de hausser
les épaules. Mais oui, il avait dit les fourmis. Qu'y avait-il
d'étonnant à ce qu'il eût dit Riki et les fourmis? Une
rêverie le porta, allégé, aux confins de la veille et du sommeil, le frôlement d'une étoffe l'en ramena. Entre ses cils
il reconnut la manche haïssable, toute proche, les chevrons
bleus, les petits poils de laine, et son ressentiment lui rendit
des forces. Il refusa d'en voir davantage, mais une voix
vint ouvrir ses paupières fermées, une voix qui disait :
"Eh bien, mon-jeune-ami... "

"Je le chasse, je le chasse!... ", cria Jean en lui-même.
"Lui, sa manche, son mon-jeune-ami, ses petits yeux,

je les maudis, je les chasse! " Il s'exténuait d'irritation, et haletait.

— Eh bien, eh bien... Qu'est-ce qu'il y a? Voilà bien du mouvement... Là... Là...

Une main se posa sur la tête de Jean. Impuissant à se révolter, il espéra foudroyer, d'un coup d'œil, l'agresseur. Mais il ne trouva, assis sur la chaise de chevet réservée à Madame Maman, qu'un brave homme un peu lourd, un peu chauve, dont les yeux, en croisant les siens, se mouillèrent :

— Mon petit, mon petit... C'est vrai que vous avez des fourmis dans les jambes? C'est vrai? C'est bien gentil ma foi, c'est bien gentil... Vous ne boiriez pas un demi-verre de limonade? Vous ne suceriez pas une cuillerée de sorbet au citron? Une gorgée de lait coupé?

La main de Jean s'abandonna à de gros doigts très doux, une paume tiède. Il murmura un acquiescement confus, dont il ne discernait pas lui-même s'il s'excusait, s'il souhaitait le sorbet, le breuvage, le lait "coupé"... Pâli jusqu'au gris défaillant entre un large cerne et les sourcils sombres, son regard saluait deux petits yeux d'un bleu gai, clignotants, humides, tendres...

Le reste du temps nouveau ne fut qu'une suite de moments désordonnés, une mêlée de sommeils, brefs, longs, hermétiques, de sursauts précis et de frissons vagues. Le brave médecin se dissipa dans une fête de ha-ham, ha-ham, de grosse toux satisfaite, de "Chère Madame, à la bonne heure! Nous voilà sauvés! ", tous vacarmes tellement joyeux que Jean, s'il n'eût fondu de nonchalance, se fût enquis de ce qui arrivait d'heureux dans la maison.

Les heures passaient inexplicablement, jalonnées de fruits dans leur gelée, de lait vanillé. Un œuf à la coque souleva son petit couvercle, découvrit son jaune de bouton d'or. La fenêtre, entrebâillée, laissa passer un souffle capiteux, un vin de printemps...

Le gentil coupeur de cheveux n'avait pas encore licence de revenir. Des cheveux de fillette descendaient sur le front, sur le cou de Jean, et Madame Maman se risqua à les nouer d'un ruban rose, que son fils rejeta d'un geste de garçon offensé...

Derrière la vitre, le rameau de marronnier enflait jour à jour ses bourgeons façonnés en boutons de roses, et tout le long des jambes de Jean couraient des fourmis armées de petites mandibules pinçantes. "Cette fois, j'en tiens une, Madame Maman!" Mais il ne pinçait que son épiderme transparent, et là fourmi fuyait à l'intérieur d'un arbre de veines couleur d'herbe printanière. Au huitième jour des temps nouveaux, une grande écharpe de soleil, en travers de son lit, l'émut plus qu'il ne put le supporter et il décida que le soir même la fièvre quotidienne lui rendrait ce qu'il attendait en vain depuis une semaine, ce que la profonde fatigue et les sommeils, taillés à même un bloc de noir repos, écartaient de lui : ses compagnons sans visage, ses chevauchées, les firmaments accessibles, sa sécurité d'ange en plein vol...

— Madame Maman, s'il vous plaît, je voudrais mes livres.

— Mon chéri, le docteur a dit que...

— Ce n'est pas pour les lire, Madame Maman, c'est pour qu'ils se rhabituent à moi...

Elle ne dit mot et rapporta avec appréhension les tomes haillonneux, le gros pavé mal relié, le veau blond doux comme une peau humaine, une *Pomologie* peinte de fruits joufflus, le Guérin tacheté de lions à faces plates, d'ornithorynques, survolé par des coléoptères grands comme des îles...

Le soir venu, lesté d'aliments enchanteurs auxquels il accordait l'intérêt, l'avidité des enfants ressuscités, il feignit que le sommeil le terrassât, murmura des souhaits, une vague et malicieuse chanson qu'il avait improvisée récemment. Ayant guetté le départ de Madame Maman et de Mandore, il prit le commandement de son radeau d'in-folio et d'atlas et s'embarqua. Une jeune lune, derrière la branche de marronnier, dénonçait que les bourgeons, par la grâce de la saison, allaient s'ouvrir en feuilles digitées.

Il s'assit sans aide sur son lit, remorquant, encore pesantes, ses jambes parcourues de fourmis. Au fond de la fenêtre, dans l'eau céleste de la nuit, baignaient ensemble la lune courbe et le reflet indistinct d'un enfant aux longs cheveux, à qui il adressa un signe d'appel. Il leva un bras, et l'autre enfant répéta docilement son geste de sommation. Un peu enivré de puissance et de merveilles, il convoqua ses commensaux des heures cruelles et privilégiées, les sons visibles, les tangibles images, les mers respirables, l'air nourricier, navigable, les ailes qui défient les pieds, les astres rieurs...

Il convoqua surtout certain petit garçon fougueux qui éclatait secrètement de gaieté en quittant la terre, abusait Madame Maman et la tenait, maître de sa douleur comme de ses joies, prisonnière de cent tendres impostures...

Puis il attendit, mais rien ne vint. Rien ne vint cette nuit-là, ni les suivantes, rien, jamais plus. Le paysage de neiges rosées avait déserté le coupe-papier de nickel, et

jamais plus Jean ne planerait dans une aube couleur de
pervenche, entre les cornes aiguës et les beaux yeux bombés
d'un troupeau bleu de rosée... Plus jamais Mandore jaune
et brune ne retentirait de toutes les cordes — tzromm,
tzromm — bourdonnant sous sa vaste robe sonore. L'alpe
damassée, amoncelée dans la grande armoire, se pouvait-il
qu'elle refusât désormais, à un enfant bientôt valide, les
prouesses qu'elle consentait à un garçonnet impotent,
sur les pentes des glaciers imaginaires?

Un temps veut qu'on s'applique à vivre. Un temps
vient de renoncer à mourir en plein vol. D'un signe Jean
dit adieu à son reflet aux cheveux d'ange, qui lui rendit
son salut du fond d'une nuit terrestre et sevrée de prodiges, la seule nuit permise aux enfants dont la mort s'est
dessaisie et qui s'endorment consentants, guéris et désap-
pointés.

LA DAME DU PHOTOGRAPHE

QUAND celle qu'on appelait " la dame du photographe "
résolut de mettre fin à ses jours, elle apporta à la réalisation
de son projet beaucoup de bonne foi et de soins, une
inexpérience totale des toxiques, et Dieu merci elle se
manqua. De quoi tout l'immeuble se réjouit, et moi aussi,
bien que je ne fusse pas du quartier.

Mme Armand — de l'atelier Armand, photographie
d'art et agrandissements — habitait sur le même palier
qu'une enfileuse de perles, et il était rare que je ne rencon-
trasse pas l'aimable " dame du photographe " quand je
montais chez Mlle Devoidy. Car j'avais, en ces temps
anciens, un collier de perles comme tout le monde. Toutes
les femmes voulant porter des perles, il y en eut pour
toutes les femmes et toutes les bourses. Quelle corbeille
de mariage eût osé se passer d'un " rang " ? L'engouement
commençait au cadeau de baptême, par un fil de perles
grosses comme des grains de riz. Aucune mode, depuis,
n'eut une exigence pareille. A partir d'un millier de francs
vous achetiez un collier " en vrai ". Le mien avait coûté
cinq mille francs, c'est dire qu'il n'attirait pas l'attention.

Mais bien vivant, d'un orient gai, il témoignait de sa belle santé et de la mienne. Lorsque je le vendis, pendant la grande guerre, ce n'était point par caprice.

Je n'attendais pas, pour faire renouveler son fil de soie, qu'il en fût besoin. Son enfilage m'était prétexte à visiter Mlle Devoidy, ma payse à quelques clochers près. De vendeuse dans un *Aux mille parures* où tout était faux, elle avait passé enfileuse de vrai. Cette célibataire de quarante ans environ gardait comme moi l'accent du terroir, et me plaisait en outre par un humour réticent qui se moquait, du haut d'une pointilleuse honnêteté, de beaucoup de choses et de gens.

Quand je montais chez elle, j'échangeais le bonjour avec la dame du photographe, qui se tenait souvent debout sur son seuil béant, face à la porte close de Mlle Devoidy. Le mobilier du photographe empiétait sur le palier, à commencer par un "pied" des premiers âges, un pied d'appareil en beau noyer veiné, mouluré et lui-même tripode. Par son volume et son caractère d'immuabilité, il me faisait penser aux vis de pressoir massives que l'on conviait, environ la même époque, à soutenir, dans un appartement teinté de goût artiste, quelque statuette gracile. Une chaise gothique lui tenait compagnie et servait d'accessoire aux photographies de communiants. La petite niche en osier et son loulou empaillé, la paire de havenets chère aux enfants en costume marin, complétaient le magasin des accessoires expulsés de l'atelier.

Une incurable odeur de toile peinte régnait sur ce palier terminal. Pourtant la peinture d'une toile de fond reversible, en camaïeu gris sur gris, ne datait pas d'hier. L'une des faces représentait une balustrade au bord d'un parc anglais, l'autre une petite mer bornée au loin par un

port indistinct, dont la ligne d'horizon penchait un peu
à droite. La porte d'entrée restant fréquemment ouverte,
c'est sur ce fond orageux, sur cette mer oblique que je
voyais, campée, la dame du photographe. A son air d'at-
tente vague, je présumais qu'elle venait là pour respirer
la fraîcheur du palier ultime ou épier quelque montée de
clientèle. Je sus plus tard que je me trompais. J'entrais
chez la voisine d'en face, et Mlle Devoidy me tendait une
de ses mains sèches, agréables, infaillibles, qui ignoraient
la hâte et le tremblement, qui ne laissaient jamais choir
une perle, une bobine, une aiguille, qui gommaient, d'un
tour de doigts assuré, la pointe d'un brin de soie en le
passant sur une demi-lune de cire vierge, puis la braquaient
roidie vers le chas d'une aiguille plus fine que toutes les
aiguilles à coudre...

Ce que j'ai le mieux vu de Mlle Devoidy, c'est son
buste pris dans le cirque de lumière sous la lampe, son
collier de corail sur son col blanc empesé, son sourire
de raillerie contenue. Pour sa figure semée de rousseurs,
un peu plate, elle servait de cadre et de repoussoir à des
yeux bruns d'aventurine, piquetés, perçants, qui ne voulaient ni lunettes ni loupe, dénombraient la poussière de
perles nommée semence dont on compose les écheveaux
et torsades, insipides comme une passementerie blanche,
et nommés bayadères.

Mlle Devoidy, logée à l'étroit, travaillait dans la première pièce, couchait dans la seconde, qui précédait la
cuisine. Une double porte, à l'entrée, ménageait une
minuscule antichambre. Lorsqu'un visiteur sonnait ou
frappait, Mlle Devoidy criait sans se lever :

— Entrez! La clef se tourne à gauche!

Avais-je, pour ma payse, un commencement d'amitié?

J'aimais, à coup sûr, sa table professionnelle, nappée de
drap vert comme un billard, rebordée comme une table
de bridge, creusée de rigoles parallèles au long desquelles
les doigts de l'enfileuse rangeaient et calibraient des colliers, en s'aidant de précelles délicates, pinces dignes de
toucher les matières les plus précieuses : la perle et l'aile
du papillon mort.

J'avais aussi de l'amitié pour les particularités et les
surprises d'un métier qui exigeait deux années d'appren-
tissage, des aptitudes manuelles et l'habitude un peu mépri-
sante des joyaux. La furie d'aimer les perles, qui dura
longtemps, laissait l'enfileuse expérimentée travailler chez
elle à son gré. Quand Mlle Devoidy me disait, en cachant
un bâillement : " Un tel et un tel m'ont apporté des *masses*
hier soir, il a fallu que je compose jusqu'à deux heures
du matin... ", mon imagination grossissait féeriquemen-
ces " masses " et élevait le verbe " composer " à la haut
teur d'un labeur de l'esprit.

Dès l'après-midi, et l'hiver par les matinées sombres,
s'allumait au-dessus de la table une ampoule électrique,
au cœur d'un volubilis de métal. Sa forte lumière balayait
toutes les ombres de l'établi sur lequel Mlle Devoidy
n'admettait nul petit vase planté d'une rose, nul vide-
poche ni bibelot capables de dissimuler une perle égarée.
Les ciseaux eux-mêmes semblaient se faire tout plats.
Sauf ce soin, qui maintenait la table dans son état de nudité
étoilée de perles, je ne surpris jamais chez Mlle Devoidy
la moindre marque de méfiance. Colliers et sautoirs gisaient
démembrés sur le tapis vert, comme des enjeux dédaignés.

— Vous n'êtes pas bien pressée? Je vous fais une
petite place, amusez-vous avec ce qui traîne, le temps
que je vous renfile. Il ne veut donc pas s'engraisser, ce

rang? Faut le mettre à l'épinette. Ah! vous ne saurez
jamais y faire...

En même temps que Mlle Devoidy se moquait, elle
chargeait son sourire de me rappeler notre commune
origine, un village cerné de bois, la pluie d'automne ruis-
selant sur les tas de pommes qui, sur la lisière des prés,
attendent d'être menés au pressoir. Je m'amusais, en
effet, avec ce qui traînait sur la table. Parfois c'étaient de
grands sautoirs américains, fastueux et impersonnels; les
perles de Cécile Sorel se mêlaient au collier de Polaire,
trente-sept perles célèbres. Il y avait des colliers de joail-
liers, laiteux et neufs, que n'avait pas encore émus une
longue amitié avec la peau des femmes. Çà et là un diamant, monté en fermoir, émiettait des arcs-en-ciel. Un
collier de chien, carcan de quatorze rangs, palissé de
barrettes en brillants, parlait de fanons ridés, de tendons
d'aïeules, peut-être d'écrouelles...

Cet étrange métier a-t-il changé? Jette-t-il encore, devant
des femmes incorruptibles et pauvres, des trésors en mon-
ceaux, des fortunes sans défense?

Mme Armand venait parfois s'attabler, le jour tombant,
au tapis vert.

Par discrétion elle s'abstenait de manier les colliers sur
lesquels son regard d'oiseau promenait une étincelante
indifférence.

— Voilà votre journée finie, madame Armand? disait
Mlle Devoidy.

— Oh! moi... je ne suis pas limitée par le jour comme
mon mari. Mon dîner à chauffer, l'atelier à ranger, des
petites choses ici et là... Ce n'est pas la mer à boire.

Inflexible debout, Mme Armand, assise, ne l'était pas
moins. Son buste sanglé d'un corsage écossais rouge et

noir, à brandebourgs de soutache, me faisait penser, entre les battants mi-ouverts d'une jaquette, à une petite armoire. Une séduction de femme-tronc émanait d'elle. En même temps elle respirait l'aménité des caissières sérieuses et quelques autres grandes vertus.

— Et M. Armand, qu'est-ce qu'il fait de beau à cette heure-ci? reprenait Mlle Devoidy.

— Il s'occupe encore. Il est toujours sur sa noce de samedi dernier. C'est qu'il faut tout faire dans une si petite entreprise comme la nôtre. Ce cortège de la noce de samedi donne beaucoup de tracas, mais c'est un profit appréciable. Le couple d'une part, les demoiselles d'honneur en groupe, le cortège tout ensemble en quatre poses, est-ce que je sais... Je ne l'aide pas autant que je voudrais...

La dame du photographe se tourna vers moi comme pour s'excuser. Dès qu'elle parlait, les prestiges empesés et divers du corsage juste, de la jaquette, du gardénia d'étoffe épinglé à la boutonnière fondaient à la chaleur d'une voix agréable, presque sans modulations, une voix faite pour conter longuement des histoires de quartier.

— Mon mari fatigue, à cause de son commencement de goitre exophtalmique, je dis son exo pour aller plus vite... L'année est trop mauvaise pour que nous prenions un aide-opérateur. L'ennui, c'est que je n'ai pas la main sûre, je brise. Le pot de colle par-ci, et une cuvette à baigner les clichés par là... et pan un cadre par terre... Vous voyez d'ici le déficit au bout d'une journée.

Elle étendit vers moi une main qui en effet tremblait.

— Les nerfs, dit-elle. Alors je m'en tiens à mon petit domaine, je m'occupe de tout le ménage. D'un sens il paraît que c'est bon pour mes nerfs, mais...

Elle restait fréquemment sur un " mais... " après lequel

venait un soupir, et comme je demandais à Mlle Devoidy
si ce " mais " et ce long soupir ne cachaient pas une histoire
mélancolique :

— Pensez-vous, repartit ma payse. C'est une femme
qui s'étripe pour faire fine taille, alors elle est forcée à
chaque minute de chercher son vent.

De traits réguliers, Mme Armand restait fidèle au col
officier et à la frisure en éponge sur le front, parce qu'on
lui avait assuré qu'elle ressemblait à la reine Alexandra
d'Angleterre, en plus mutin. En plus mutin, voilà ce que
je ne saurais affirmer. En plus brun, certainement. Les
chevelures noir-bleu avec la peau blanche et un petit nez
correct abondent à Paris et ne se réclament que de Paris,
sans qu'il leur soit besoin de sang méridional. Mme Armand
avait autant de cils qu'une Espagnole, et un regard d'oiseau, j'entends un regard noir, riche d'un éclat invariable.
Le quartier lui payait un tribut laconique et suffisant,
en murmurant sur ses pas les mots " belle brune ". Sur
ce point l'opinion de Mlle Devoidy se permettait une
restriction :

— Belle brune, c'est le mot... Surtout il y a dix ans.

— Il y a dix ans que vous connaissez Mme Armand?

— Non, puisqu'ils ne sont emménagés, elle et le petit
père Gros-Yeux, que depuis trois ans. Moi, je suis plus
vieille qu'eux dans la maison. Mais je me représente très
bien Mme Armand il y a dix ans... On voit que c'est une
femme qui se ronge.

— Qui se ronge? C'est un gros mot. Vous n'exagérez
pas?

Un regard offensé, couleur de minerai pailleté, passa
par-dessous la lampe, vint me rejoindre dans l'ombre.

— Tout le monde peut se tromper, Mme Armand

aussi peut se tromper. Elle s'est mis dans la tête qu'elle
mène une vie sédentaire, figurez-vous. Alors tous les
soirs, soit avant le dîner, soit après, elle s'en va à pied,
prendre l'air.

— C'est d'une bonne hygiène, ne pensez-vous pas?

Mlle Devoidy, en pinçant les lèvres, fit converger les
petits poils de moustache incolores qu'elle avait aux coins
de la bouche — ainsi font les phoques lorsqu'en plongeant
ils ferment à l'eau l'accès de leurs narines.

— L'hygiène et moi, vous savez... Du moment que la
dame du photographe a chaussé l'idée qu'elle a des étouf-
fements si elle ne sort pas, ça suffit pour qu'on la trouve
un jour étouffée dans l'escalier.

— Vous sortez rarement, mademoiselle Devoidy?

— Autant dire jamais.

— Et vous ne vous en portez pas plus mal?

— Vous voyez. Mais je n'empêche pas les personnes
de faire autrement que moi.

Elle jeta vers la porte close, à l'adresse d'une Mme Armand invisible, son regard chargé de malice, et je pensai
aux vertes médisances qu'échangent à travers les haies
les gardeuses de bêtes de mon pays, tout en claquant les
taons gonflés de sang sous le sensible ventre des génisses...

Sur un enfilage de perles minuscules, Mlle Devoidy
pencha son front au bord duquel la chevelure châtaine
finissait en duvet vigoureux, d'argent comme sa petite
moustache, entre l'oreille et la joue. Tous les traits de
cette recluse parisienne me parlaient du saule duveteux,
de la noisette mûre, du fond sableux des sources, des
soyeuses écorces. Elle braquait la pointe de son aiguille,
pincée entre le pouce et l'index posés à plat, vers les pertuis
presque invisibles de perles petites, et d'un blanc fade,

qu'elle embrochait cinq par cinq, puis faisait glisser sur le fil de soie.

Un poing familier heurta la porte.

— Ça, c'est Tigri-Cohen, dit Mlle Devoidy. Je reconnais sa manière. La clef est sur la porte, monsieur Tigri!

La figure disgraciée de Tigri-Cohen franchit la petite arène de lumière. Sa laideur était tantôt ironique et riante, tantôt suppliante et triste, comme celle de certains singes trop intelligents, qui dans le même instant ont sujet de chérir les dons de l'homme et d'en trembler de peur. J'ai toujours pensé que Tigri-Cohen se donnait beaucoup de mal pour avoir l'air retors, aventureux, et de peu de scrupule. Il se donnait un chic de prêteur à la petite semaine, peut-être par naïveté. Je lui vis toujours le louis facile et même le " gros faffe ", si bien qu'il est mort pauvre, au sein de son honnêteté ignorée.

Je l'avais connu dans les coulisses des music-halls où Tigri-Cohen passait la plupart de ses soirées. Les petites artistes lui grimpaient aux épaules comme des perruches privées et déteignaient en blanc sur cet homme noir. Elles lui savaient les poches pleines de menus bijoux, de perles bourrées, de robodes juste bonnes à épingler les chapeaux. Il frappait d'admiration ses petites camarades en leur montrant des pierres de mauvaise couleur et de beaux noms, les péridots, les calcédoines, les chrysoprases et les ambitieux zircons. Tutoyant, tutoyé, Tigri-Cohen vendait entre dix heures du soir et minuit quelques-uns de ses graviers brillants. Mais auprès des vedettes fortunées il se posait surtout en acheteur...

Son goût pour la belle perle m'a toujours semblé sensuel encore plus que commercial. Je n'oublie pas l'état d'exaltation où je le vis, un jour qu'à son magasin je le trouvai

tête à tête avec un petit homme ordinaire et indéchiffrable,
qui tira de son veston fatigué un mouchoir de soie bleu
céleste, et du mouchoir une seule perle...

— Tu l'as encore? demanda Tigri.

— Oui, dit le petit homme. Pas pour longtemps.

C'était une perle non percée, ronde, grosse comme
une belle cerise, et telle qu'elle paraissait non pas recevoir
la froide lumière départie aux numéros pairs de la rue
La Fayette, mais émettre une clarté égale et voilée. Tigri
la contemplait sans mot dire, et le petit bonhomme se
taisait.

— Elle est... Elle est..., commença Tigri-Cohen...

Il chercha en vain une louange, souleva les épaules.

— Prête-la moi? demandai-je.

J'eus dans le creux de ma paume cette vierge merveilleuse et tiède, son énigme d'instables couleurs, son rose
insaisissable qui captait un bleu neigeux, puis l'échangeait
contre un mauve fugitif.

Avant de rendre la glorieuse perle, Tigri soupira.
Puis le petit homme éteignit les douces lueurs dans le
mouchoir bleu, enfouit le tout, distraitement, dans une
poche et s'en alla.

— Elle est..., répéta Tigri... Elle est couleur d'amour.

— A qui appartient-elle?

Il éclata, leva ses longs bras de singe.

— A qui? A qui? Est-ce que je sais? A des types noirs
de l'Inde! A un syndicat de peigne-chose! A des sauvages,
à des gens sans foi ni sensibilité, des...

— Combien vaut-elle?

Il laissa tomber sur moi un regard de mépris.

— Combien? Une perle pareille, qui en est à son aurore,
qui circule encore dans sa petite chemise de satin bleu

au fond d'une poche de courtier. Combien? Comme un
kilo de pruneaux, alors? " C'est trois francs, madame.
Voici, madame. En vous remerciant, madame. " Ah! entendre ça...

Il jouait de tout son visage de mime laid et passionné,
toujours trop riche de trop d'expression, de trop de rire,
de trop de douleur. Chez Devoidy, je me souviens que
ce soir-là il miroitait de pluie et ne s'en souciait pas. Il
explorait, d'un geste machinal, ses poches recéleuses de
sautoirs en pierres de couleur, de bagues à cabochons,
de sachets pliés où dorment les diamants sur papier. Il
jeta quelques cordons de perles sur le drap vert.

— Tiens, Devoidy mes amours, fais-moi ça pour
demain... Et ça... Crois-tu que c'est vilain? Si tu retirais
la plume de pigeon qui bourre ce noyau du milieu, tu
pourrais l'enfiler sur un câble... Enfin, change toujours
le bourrage.

Par habitude, il se pencha, un œil cligné, sur mon collier :

— La quatrième à partir du centre, je suis acheteur.
Non? A ton aise. Au revoir, mes choux. Je vais ce soir
à la générale des Folies-Bergère.

— Belle soirée pour les affaires, dit poliment Mlle Devoidy.

— Comme quoi tu n'y connais rien. Ce soir, mes
bonnes femmes ne pensent qu'à leurs rôles, à leurs costumes,
à la gueule que fait le public et à se trouver mal derrière
un portant. Au revoir, mes choux.

D'autres passants, surtout des passantes, abordaient
la porte sans verrou, le cirque étroit de dure lumière. Je
les regardais avec l'avidité que j'eus toujours pour les
êtres que je ne risque pas de revoir. Des femmes parées
avançaient sous l'ampoule leurs mains emplies de grains

précieux et blancs. Ou bien elles détachaient, d'un geste
languissant et orgueilleux qu'elles acquièrent avec l'habitude des perles, les fermoirs de leurs colliers.

Ma mémoire retient l'image, entre autres, d'une femme
tout argentée de chinchillas... Elle entra agitée, si robuste
et si populacière sous son luxe qu'elle était un plaisir
pour les yeux. Elle s'assit rudement sur le tabouret de
paille et commanda :

— Ne me désenfilez pas tout le rang. Séparez-moi
seulement celle-là, à côté du centre, oui, cette belle-là...

Mlle Devoidy, qui n'aimait pas les despotes, coupa
posément deux nœuds de soie, et poussa la perle libre
vers sa cliente. La belle femme s'en saisit, l'étudia de
tout près. Sous la lampe, j'aurais pu compter ses grands
cils agglutinés et palpitants. Elle tendit la perle à l'enfileuse :

— A vous, qu'est-ce qu'elle vous dit, cette perle-là?

— Je ne me connais pas en perles, dit Mlle Devoidy
impassible.

— Sans blague?

La belle femme montra la table du geste, avec une
intention ironique. Puis son visage changea, elle empoigna
une petite masse de fonte sous laquelle Mlle Devoidy
maintenait une série d'aiguilles enfilées à l'avance, et la
précipita sur la perle, qui s'écrasa en menus débris. Je
fis " Oh! " malgré moi. Mlle Devoidy ne se permit pas
d'autre mouvement que de ramener contre son buste,
sous ses mains fidèles, un travail inachevé et des perles
éparses.

La cliente contempla son œuvre sans mot dire. Enfin,
elle éclata en larmes véhémentes. Elle hoquetait : " Le
salaud, le salaud! " tout en recueillant sur un coin de

mouchoir le noir de ses cils. Puis elle tassa dans son réticule son collier amputé d'une perle, réclama un "petit papier fin" où elle enferma les moindres fragments de la perle fausse, et se leva. Avant de sortir, elle tint à affirmer fortement que "ce n'était pas fini cette affaire-là", et elle entraîna au-dehors l'incommodant effluve d'une essence toute nouvelle, que fêtait la mode : le muguet synthétique.

— C'est la première fois que vous voyez une chose pareille, mademoiselle Devoidy?

Mlle Devoidy rangeait son établi minutieusement, de ses mains soigneuses qui ne tremblaient pas.

— Non, la seconde, dit-elle. Avec cette différence que la première fois la perle a résisté. Elle était vraie. Le reste du collier aussi.

— Et qu'est-ce que la dame a dit?

— Ce n'était pas une dame, c'était un monsieur. Il a dit : "Ah! la garce!"

— Pourquoi?

— Le collier, c'était celui de sa femme. Elle avait fait croire à son mari qu'il coûtait quinze francs... Oui. Oh! vous savez, autour des perles, c'est rare s'il n'y a pas des histoires de toutes les couleurs...

Elle toucha de deux doigts son petit collier de corail. Je m'étonnai de surprendre, chez cette sceptique un peu ricaneuse, un geste conjuratoire, d'entrevoir sur son front têtu le nuage des superstitions.

— De sorte que vous n'aimeriez pas porter des perles?

Elle leva une épaule de biais, tiraillée entre sa prudence commerciale et l'envie de ne pas mentir :

— On ne sait pas. On ne se connaît pas soi-même. Là-bas, à Coulanges, il y avait un type on ne peut pas plus anarchiste, il faisait peur à tout le monde. Et puis,

il a hérité d'une petite maison à jardin, avec un pigeonnier
rond et un toit à cochons... Si vous voyiez l'anarchiste à
présent... Il y a du changement.

Elle retrouvait vite son rire contenu, son expression
agréablement séditieuse et sa manière d'approuver sans
bassesse, de critiquer sans grossièreté.

Un soir que je m'attardais chez elle, elle me surprit
à bâiller et je m'excusai :

— J'ai une de ces faims... Je ne prends pas le thé,
et j'ai mal déjeuné, il y avait de la viande rouge, je ne peux
pas manger la viande saignante.

— Moi non plus, dit ma payse. Chez nous, vous savez
bien qu'on dit que la viande crue c'est pour les chats et
les Anglais. Mais si vous patientez cinq minutes, un mille-
feuilles va venir vous trouver ici, sans que j'aie bougé
de ma chaise. Qu'est-ce que vous pariez?

— Une livre de chocolats à la crème.

— Cochon qui s'en dédit! dit promptement Mlle Devoidy en me tendant tout ouverte sa paume sèche, où je
topai.

— Mademoiselle Devoidy, comment se fait-il que chez
vous ça ne sente jamais le merlan frit, ni l'oignon, ni le
ragout? Vous avez un secret?

Elle fit " oui " en battant des paupières

— Je peux savoir?

Une main habituée frappa trois coups à la porte d'entrée.

— Tenez, le voilà, votre mille-feuilles. Et mon secret
dévoilé. Entrez madame Armand, entrez!

Cependant, elle agrafait sur ma nuque mon petit collier
bourgeois.

Embarrassée d'un cabas, Mme Armand ne me tendit

pas tout de suite ses doigts chroniquement frémissants, et parla avec précipitation :

— Attendez, attendez, qu'on ne me bouscule pas, j'ai du fragile... Le plat garni du jour, c'est du bœuf à la bourguignonne, et je vous ai pris un beau pied de laitue. Quant aux mille-feuilles, macache! C'est des génoises glacées.

Mlle Devoidy fit à mon adresse une grimace comique et voulut délester son obligeante voisine. Mais celle-ci s'écria : " Je vous porte tout dans la cuisine! " en courant vers la pièce obscure. Si vite qu'elle eût traversé la zone éclairée, j'entrevis son visage, et Mlle Devoidy aussi.

— Je me sauve, je me sauve, j'ai du lait sur mon gaz! reprit Mme Armand sur le mode gamin.

Elle retraversa la première pièce en courant, tira la porte derrière elle.

Mlle Devoidy s'en fut chercher, dans la cuisine, deux génoises glacées de sucre rose, sur une assiette décorée d'une grenade en flammes et de l'exergue " Au réveil des sapeurs-pompiers ".

— Sûr et certain, dit-elle d'un air songeur, que la dame du photographe a pleuré... Et qu'elle n'a pas de lait sur son gaz.

— Scène de ménage?

Elle secoua la tête.

— Le pauvre petit père Gros-Yeux! Il n'en est pas capable. Elle non plus, d'ailleurs. Dites voir, vous l'avez menée vite, votre génoise. Voulez-vous l'autre? Elle m'a un peu barré l'estomac, la dame de M. Armand, avec sa figure à la renverse.

— Ça s'arrangera demain, dis-je distraitement.

En échange d'une phrase aussi molle, je reçus un bref et tranchant coup d'œil.

— Mais oui, n'est-ce pas? Et puis, si ça ne s'arrange pas, vous vous en fichez pas mal.

— Quoi donc? Vous trouvez que je ne me passionne pas assez pour les accrocs du ménage Armand?

— Le ménage Armand ne vous demande rien. Ni moi non plus. Ça serait bien la première fois, par exemple, qu'on m'entendrait demander à quelqu'un...

Mlle Devoidy baissait la voix pour tâcher de contenir son irritation. Nous étions, je pense, parfaitement ridicules. C'est ce nuage de courroux, élevé entre deux femmes au sang vif, qui a fixé dans ma mémoire les détails d'une sotte scène imprévue. J'eus le bon sens, en lui posant ma main sur l'épaule, d'y mettre fin tout de suite :

— Allons, allons... Ne nous faisons pas plus ch'tites que nous ne sommes! Vous savez bien que si je peux être utile à cette brave dame... Vous craignez quelque chose pour elle?

Mlle Devoidy rougit sous son pigment noisette et couvrit d'une main le haut de son visage, d'un geste romanesque et simple :

— Maintenant, vous voilà trop gentille... Ne soyez pas trop gentille avec moi... Quand on est trop gentil avec moi, je ne sais plus ce que je fais, je m'en irais de tous les côtés comme une soupe...

Elle dévoila ses belles prunelles humides et pailletées, poussa vers moi le tabouret de paille.

— Une minute, vous avez bien une minute? C'est la pluie qu'on entend; laissez passer la pluie...

Elle s'assit en face de moi à sa place de travailleuse, se frotta vigoureusement les yeux du dos de l'index.

— Dites-vous bien d'abord que Mme Armand ce n'est pas une femme à ragots, ni à confidences. Mais elle demeure très près, tout contre moi. Ici, c'est un petit immeuble de rien, à l'ancienne mode. Deux pièces à main droite, deux pièces à main gauche, des petits commerces en chambre, en famille... Des personnes qui logent tout près, ce n'est pas tellement qu'on les entende, d'ailleurs ils ne font pas de bruit, c'est que je les sens. Surtout que Mme Armand passe pas mal de temps sur le palier. Dans des endroits comme ici, si quelque chose va de travers, c'est vite fait que les voisins le sentent, du moins moi...

Elle baissa la voix, serra les lèvres, ses petits poils de moustache étincelèrent. Elle piqueta sa table verte de la pointe d'une aiguille, comme si elle comptait cabalistiquement ses paroles :

— Quand la dame du photographe va aux commissions, pour elle ou pour moi, vous pouvez voir la concierge, aussi bien que la marchande de fleurs de dessous la voûte, ou la demoiselle du petit bistrot, qui s'avancent, soit l'une, soit l'autre, pour voir où elle va. Où est-ce qu'elle va? Mais elle va au crémier, aux croissants chauds, au coiffeur, comme tout le monde! Alors les curieux rentrent leur nez, pas contents, comme si on leur avait promis quelque chose qu'on ne leur donne pas. Et ils recommencent la fois d'après. Quand c'est moi qui sors, ou Mme Gâteroy d'en dessous ou sa fille, les gens ne sont pas à guetter comme pour un événement.

— Mme Armand, hasardai-je, a un physique assez... assez personnel. Peut-être aussi abuse-t-elle de l'écossais...

Mlle Devoidy secoua la tête, parut découragée de se faire comprendre. L'heure s'avançait, du haut en bas de la maison, des portes claquaient une à une, à chaque étage on roulait des sièges autour d'une table et d'une soupière; je m'en allai. La porte de l'atelier photographique,

insolitement fermée, conférait un rôle décoratif important
au pied d'appareil et aux havenets croisés sous le papillon
de gaz. En bas, la concierge souleva son rideau pour me
voir passer : je n'étais jamais restée si tard.

La nuit tiède fumait autour des becs de gaz, et l'heure
insolite me fournissait la petite angoisse, non sans prix,
qui autrefois m'étreignait au sortir des spectacles de théâtre
commencés sous le soleil au zénith, achevés à la nuit
close.

Méritent-ils, mes passants des époques lointaines, de
revivre, comme je les y contrains, en quelques pages?
Ils valurent que je les tinsse secrets, du moins le temps
qu'ils m'occupaient. Par exemple, on ignora, à mon domi-
cile conjugal, l'existence de Mlle Devoidy, ma familiarité
avec Tigri-Cohen. De même pour la "dame" de M. Armand et pour une piqueuse à la main, habile dans l'art
de recouvrir les courtepointes élimées, à agencer des
débris de soieries multicolores, sous la forme de tapis,
de couvertures pour les voitures d'enfants. L'aimai-je pour
son travail qui méprisait la mode et la machine à coudre,
ou bien pour son second métier? A six heures après midi,
elle quittait ses hexagones de soie et gagnait la Gaîté-
Lyrique, où elle chantait un rôle dans *Les Mousquetaires
au couvent.*

Entre cuir et doublure, à l'intérieur de mon réticule,
je gardai longtemps une "semeuse" de cinquante cen-
times, perdue chez Tigri-Cohen, retrouvée par lui et qu'il
s'était diverti, avant de me la restituer, à clouter de petits
diamants selon la forme de mes initiales. Mais je ne parlai
chez moi ni du gentil fétiche, ni de Tigri, car mon mari
de ce temps-là s'était fait du joaillier une idée tellement
rectangulaire et inflexible, une conception si banalement

fausse du "trafiquant", que je n'aurais pu ni plaider la cause de celui-ci, ni réformer l'erreur de celui-là.

Eus-je un véritable attachement pour la petite piqueuse à la main? Aimai-je d'amitié le Tigri-Cohen méconnu? Je ne sais. L'instinct de dissimuler ne s'est pas taillé une part très large dans mes différentes vies. Il m'importait, comme à beaucoup de femmes, d'échapper au jugement de certains êtres, que je savais sujets à l'erreur, enclins à une certitude proclamée sur un ton affecté d'indulgence. Un tel traitement nous pousse, nous, femmes, à nous écarter de la vérité simple comme d'une mélodie plate et sans modulations, à nous plaire au sein du demi-mensonge, du demi-silence, et des demi-évasions.

Le moment venu, je repris le chemin de la maison à façade étroite, au front de laquelle la verrière bleue de l'atelier Armand posait sa visière inclinée.

Dès le vestibule de l'immeuble, un livreur-teinturier à serpillière noire, une porteuse de pain et sa longue *cistera* d'osier me barrèrent le passage. Le premier, sans provocation de ma part, me dit obligeamment : "C'est rien, c'est un feu de cheminée." Au même moment, une "coursière" de maison de modes, cognant sa boîte jaune à tous les barreaux de la rampe, dévala les degrés en glapissant :

— Elle est blanche comme un linge! Elle n'a pas une heure à vivre!

Son cri groupa magiquement une douzaine de passants qui la pressèrent de toutes parts. L'envie de m'enfuir, un vague écœurement, la curiosité badaude luttèrent en moi, et ce fut à une étrange résignation que je me rangeai : je savais bien que je devrais ne m'arrêter qu'au dernier palier. Pour qui? Pour la dame du photographe, ou pour Mlle Devoidy? Celle-ci, je réglai mentalement son sort comme si rien ne dût jamais mettre en péril sa moqueuse sagesse, l'assurance de ses mains douces comme de soyeux copeaux, ni disperser les laiteuses constellations, perforées, précieuses, qu'elle pourchassait, aiguille braquée sur le drap de la table verte.

Tout en montant, à souffle raccourci, les étages, je travaillais à me rassurer. Un accident? Pourquoi n'eût-il pas touché les tricoteuses du quatrième ou le ménage de relieurs? L'après-midi de novembre, chargé de vapeur d'eau, conservait leur force aux odeurs du chou, du gaz et d'humanité émue qui me montrait le chemin...

Le bruit inopiné des sanglots est démoralisant. Facile à imiter, il garde pourtant son prestige grossier de hoquet et de nausée. Tandis que je subissais un laminage sournois entre la rampe et un porteur de dépêches poussé trop vite, nous entendîmes de convulsifs sanglots virils, et les commentaires de l'escalier se turent, avidement. Le bruit ne dura guère, s'éteignit derrière une porte que l'on referma là-haut. Sans avoir jamais entendu pleurer celui que Mlle Devoidy surnommait le petit père Gros-Yeux, je sus, à n'en pas douter, que c'était lui qui sanglotait.

J'atteignis enfin le dernier étage, le dernier palier encombré d'inconnus entre ses deux portes closes. L'une d'elles se rouvrit, et j'entendis la voix mordante de Mlle Devoidy :

— Messieurs-dames, où allez-vous comme ça? Ça n'a pas de bon sens. Si vous voulez vous faire tirer en photographie, c'est trop tard. Mais non, voyons, il n'y a pas d'accident. C'est une dame qui s'est foulé la cheville, on lui a mis un velpeau en tout et pour tout!

Un murmure de déception et quelques rires coururent
parmi les ascensionnistes. Mais il me parut qu'éclairée
crûment Mlle Devoidy avait bien mauvaise mine. Elle
proféra encore quelques paroles destinées à décourager
l'envahisseur et rentra chez elle.

— Ben, si c'est tout ça..., dit le porteur de dépêches.

Il bouscula, pour rattraper le temps perdu, un caviste
à tablier de toile verte et quelques femmes indistinctes,
disparut par bonds, et je pus enfin m'asseoir sur la chaise
gothique réservée aux premiers communiants. Dès que
je fus seule, Mlle Devoidy reparut.

— Entrez, je vous avais bien vue. Je ne pouvais pas
vous faire des signaux devant tout ce monde... Vous
permettez, je ne serai pas fâchée de m'asseoir un moment...

Comme s'il n'y eût de refuge qu'au lieu qu'elle hantait
le plus fidèlement, elle se laissa tomber sur sa chaise de
travail.

— Ça va mieux!

Elle me sourit d'un air heureux :

— Elle a tout rendu, ça y est, vous savez.

— Tout quoi?

— Ce qu'elle avait pris. Une affaire pour se faire mourir.
Une saleté dégoûtante, quoi.

— Mais quel motif?

— Ah! quel motif? Il vous faut toujours trente-six raisons. Elle avait laissé une lettre pour le petit père Gros-
Yeux...

— Une lettre? Qu'est-ce qu'elle avouait donc?

Mlle Devoidy recouvrait par degrés son sang-froid,
son aisance de camarade moqueuse :

— On ne peut rien vous cacher! Pour avouer, elle
avouait tout. Elle avouait : "Mon Geo chéri, ne me

gronde pas. Pardon de te quitter. Dans la vie comme dans la mort, je reste ta Georgina fidèle. " A côté de ça, il y avait un autre petit papier qui disait : " Tout est payé, sauf la blanchisseuse qui n'avait pas de monnaie mercredi. " Ça se passait vers les deux heures un quart, deux heures vingt...

Elle s'interrompit, se leva :

— Attendez, il reste du café.

— Si c'est pour moi, non, merci.

— C'est pour moi surtout, dit-elle.

Je vis paraître la panacée populaire et les appareils de son culte, son aiguière en émail marbré de bleu, ses deux tasses décorées d'une grecque rouge et or et son sucrier de verre tors. L'odeur de la chicorée l'escortait fidèlement et parlait de rituels malaises, de veillées mortuaires, d'accouchements difficiles, de palabres à mi-voix, d'une toxicomanie à la portée de tous...

— Voilà donc, reprit Mlle Devoidy, que sur les deux heures, deux heures et quart, on frappe chez moi. C'était mon petit père Gros-Yeux, tout emprunté, qui me dit : " Vous n'auriez pas vu descendre ma femme? — Non, je dis, mais elle a pu descendre sans que je la voie. — Oui, il me dit. Moi, je devrais être parti, mais au moment de partir je casse un flacon d'hyposulfite. Vous voyez les mains que je me suis faites. — C'est malheureux, je lui dis. — Oui, il me dit, il me faudrait un torchon, les torchons sont dans notre chambre à coucher, dans le placard derrière le lit. — Si ce n'est que ça, je dis, je vais aller vous en attraper un, ne touchez à rien. — Ce n'est pas que ça, il me dit, c'est que la chambre à coucher est fermée à clef, et elle n'est jamais fermée à clef. " Je le regarde, je ne sais pas ce qui m'a passé par la tête, je me

lève, je manque de le renverser et je m'en vais taper dans
la porte de leur chambre à coucher. Il me disait : " Mais,
qu'est-ce que vous avez? Mais, qu'est-ce que vous avez? "
Je lui retourne : " Eh bien, et vous donc? Vous ne vous
êtes pas regardé. " Il restait là avec ses mains écartées,
pleines d'hyposulfite. Je reviens ici, j'attrape ma hachette
à tailler mon bois d'allume-feux. Je vous réponds que les
gonds et la serrure ont sauté du même coup... C'est trois
fois rien, ces portes...

Elle but quelques gorgées de café tiède.

— Je me ferai mettre une chaîne de sûreté, reprit-elle.
A présent que j'ai vu comme c'est fragile, une porte...

J'attendais qu'elle reprît son récit, mais elle jouait
distraitement avec la petite pelle de métal qui cueille sur
le tapis les perles dites " semence " et semblait n'avoir
plus rien à dire.

— Alors, mademoiselle Devoidy?

— Alors quoi?

— Elle... Mme Armand... Elle était dans la chambre?

— Naturellement qu'elle y était. Sur son lit. Dans son
lit, même. Avec des bas de soie et des souliers habillés,
en satin noir avec un petit motif brodé en jais. Ça m'a
frappée, ces chaussures et ces bas. Ça m'a frappée au point
que pendant que je remplissais une boule d'eau chaude,
je dis à son mari : " Qu'est-ce qu'elle a été chercher, de
se mettre au lit en bas et en souliers? " Il sanglotait, il
m'a expliqué :

" C'est à cause de ses cors et de son troisième doigt
de pied qui chevauche... Elle ne voulait pas qu'on voie
ses pieds nus, même pas moi... Elle couchait avec des
petits chaussons, elle est si soignée de sa personne. "

Mlle Devoidy bâilla, s'étira, se mit à rire :

— Ah! on peut dire qu'un homme est empoté dans
des circonstances pareilles. Celui-là!... Tout ce qu'il savait,
c'était de pleurer et de répéter : " Ma chérie... Ma chérie... "
Une chance que j'aie fait vite, ajouta-t-elle fièrement.
Excusez-moi, j'y retourne. Oh! elle est sauvée. Mais le
docteur Camescasse, qui demeure au onze, ne lui permet
jusqu'à nouvel ordre qu'un peu de lait et d'eau minérale.
Mme Armand avait avalé du poison de quoi tuer un régi-
ment, il paraît que c'est ce qui l'a sauvée. Le petit père
Gros-Yeux est de planton à côté d'elle. Mais je vais donner
mon coup d'œil. On vous reverra? Apportez-lui un petit
bouquet de violettes, ça sera plus gai que si vous aviez
dû lui en porter un au cimetière Montparnasse.

J'étais déjà sur le trottoir quand une question me vint,
trop tard, à l'esprit : pourquoi Mme Armand a-t-elle
voulu mourir? En même temps je m'avisais que Mlle Devoidy avait omis de me l'apprendre.

Les jours qui suivirent, je pensai souvent à la dame
du photographe et à son fait divers avorté; par extension,
je pensai à la mort, et, par exception, à la mienne. Et si
je mourais en tramway? Et si je mourais au cours d'un
dîner en ville? Affreuses éventualités, mais si peu probables
que je les abandonnai vite. Nous autres femmes, nous
mourons peu hors de chez nous; que la douleur nous
boute, comme aux chevaux, un bouchon de paille enflammé
sous le ventre, et nous trouvons la force de courir vers
le gîte. Je perdis en trois jours le goût de choisir le trépas
le plus aimable. C'est pourtant gentil, des funérailles à la
campagne, surtout en juin, à cause des fleurs. Mais les
roses ont tôt fait de blettir par la chaleur... J'en étais là
quand un billet de Mme Armand — de l'orthographe,
et une ravissante écriture de sergent fourrier, frisée comme

un ténériffe — me rappela ma " bonne promesse " et me
pria pour " le thé ".

Je croisai, sur le dernier palier, deux époux d'âge mûr,
qui quittaient l'atelier du photographe, bras sur bras,
tout accommodés de jaquette bordée, de cravate plastron
et de faille noire. Le petit père Gros-Yeux les reconduisait,
et je cherchai, sur ses grosses paupières, la trace de ses
fougueuses larmes. Il me fit un salut de joyeuse entente.

— Ces dames sont dans la chambre. Mme Armand
a gardé un peu de fatigue générale, elle a pensé que vous
voudriez bien l'excuser de vous recevoir si intimement...

Il me guida à travers l'atelier, eut un mot courtois pour
ma botte de violettes — " la Parme fait si distingué ",
— et me laissa au seuil de la chambre inconnue.

Nous n'avons le choix, sur cette étroite planète, qu'entre
deux sortes d'univers inconnus. L'une nous tente, — ah!
vivre là, quel rêve! — l'autre nous est d'emblée irrespi-
rable. Une certaine absence de laideur, en matière d'ameublement, m'est bien pire que la laideur. Sans contenir
aucune monstruosité, l'ensemble de la pièce où Mme Armand savourait sa convalescence me fit baisser les yeux,
et je ne goûterais aucun plaisir à le décrire.

Elle reposait mi-étendue sur le lit fermé, le même lit
dont elle avait, pour y mourir, ouvert les draps. Son
empressement à m'accueillir l'eût mise debout si Mlle Devoidy, de sa ferme poigne d'ange gardien, ne l'avait
retenue. Novembre ne se faisait tiède qu'au-dehors.
Mme Armand se gardait du froid sous une petite couverture rouge et noire, un ouvrage de crochet au point dit
tunisien. Je n'aime pas le point tunisien. Mais Mme Armand
avait bonne mine, la joue moins aride, l'œil plus que

jamais brillant. La vivacité de ses mouvements déplaça la couverture et fit apparaître deux pieds fins, chaussés de souliers en satin noir, brodés — ainsi me les avait dépeints Mlle Devoidy — d'un motif en perles de jais.

— Madame Armand, un peu de calme, s'il vous plaît, ordonna gravement l'ange gardien.

— Mais je ne suis pas malade! protesta Mme Armand. Je me dorlote, voilà tout. Mon petit Exo me paie une femme de ménage le matin, Mlle Devoidy nous a fait un gâteau quatre-quarts, et vous m'apportez des violettes superbes! Une vie de paresseuse! Vous goûterez bien ma gelée de groseilles framboisées, avec le quatre-quarts? C'est le dernier pot de l'autre année, et, sans me vanter... Cette année-ci, je les ai ratées, et les prunes à l'eau-de-vie aussi. C'est une année où j'ai tout raté.

Elle sourit, d'un air d'allusion fine.

Par l'éclat sans variété de ses yeux noirs, elle me rappelait toujours je ne sais quel oiseau; mais maintenant, c'était un oiseau tranquille, rafraîchi, à quelle sombre source désaltéré?

— Dans cette affaire-là, tant tués que blessés, il n'y a personne de mort, conclut Mlle Devoidy.

Je saluai d'un clin d'œil complice la sentence venue tout droit du pays natal, et je saluai, l'un sur l'autre, une tasse de thé bien noir, un verre de vin cuit à goût de réglisse: il faut ce qu'il faut. Je manquais d'aisance. L'habitude ne se prend pas si vite d'évoquer, sous une loyale lumière d'après-midi, un suicide de la veille, tourné il est vrai en purgation, mais préparé pour que la suicidée n'en revînt pas. J'essayai de me mettre au ton de la maison, en badinant:

— Qui croirait que cette charmante femme, là devant

nous, est la même qui s'est montrée l'autre jour si peu raisonnable?

La charmante femme acheva son triangle de quatre-quarts avant de mimer un peu de confusion, et de répondre, dubitative et coquette :

— Si peu raisonnable... Si peu raisonnable... Il y aurait bien à dire là-dessus...

Mlle Devoidy lui coupa la parole. Une autorité militaire lui était venue, me sembla-t-il, de son premier sauvetage :

— Allons, allons! Vous n'allez pas recommencer, non?

— Recommencer! Oh! Jamais!

J'applaudis au cri, à sa spontanéité. Mme Armand étendit sa main droite pour un serment.

— Je le jure! La seule chose que je tiens à contester, c'est ce que m'a dit le docteur Camescasse : " En somme, vous avez avalé un toxique au cours d'une crise de neurasthénie? " Ça m'a fâchée. Un peu plus, je lui répondais : " Puisque vous en êtes si sûr, ce n'est pas la peine de me poser cent questions. " Moi, dans mon for intérieur, je sais bien que je ne me suis pas suicidée par neurasthénie!

— Tt, tt..., blâma Mlle Devoidy. Depuis combien de temps je vous voyais, moi, en mauvais chemin? Mme Colette ici présente peut certifier que je lui en ai parlé. Pour de la neurasthénie, c'était bien de la neurasthénie, il n'y a pas à en rougir.

La couverture au crochet sauta, il s'en fallut de peu qu'une tasse et sa soucoupe n'en fissent autant.

— Non, ça n'en était pas! Je pense que là-dessus il me sera permis d'avoir ma petite opinion, à moi aussi?

— Votre opinion, madame Armand, j'en tiens compte.

Mais elle ne peut pas s'aligner avec celle d'un homme de science comme le docteur Camescasse!

Elles échangeaient leurs répliques par-dessus ma tête, si roidement que je baissai un peu le cou. C'était la première fois que devant moi j'entendais une suicidée discuter son propre cas avec une aisance revendicatrice. Pareil à maint sauveteur céleste ou terrestre, l'ange tendait à outrer son rôle. Son œil pailleté s'allumait d'une étincelle que l'on ne pouvait tenir pour angélique, tandis que sous sa poudre de riz trop blanche le teint de la rescapée s'échauffait...

Je n'ai jamais fait fi d'une dispute entre commères. Un goût assez vif pour les spectacles de la rue me retient autour des querelles vidées en plein air, où je rencontre l'occasion d'enrichir mon vocabulaire. J'espérai, au chevet de Mme Armand, que le dialogue des deux femmes s'allumerait de cette virulence qui embrase les mésententes féminines. Mais l'incompréhensible mort, qui n'enseigne rien aux vivants, les souvenirs d'un nauséeux poison, la rigueur du dévouement qui soigne sa victime à coups de férule, tout cela était trop présent, encombrant, massif, pour céder la place à une saine engueulade. Que venais-je faire, dans ce lieu régi timidement par un petit père Gros-Yeux? De sa "dame" incomplètement séduite par la mort, que me resterait-il au-delà d'un mystère fade? Mlle Devoidy, type accompli, intègre et sec de la célibataire, je sentis que c'en était fini pour moi de la décorer du nom d'énigme et que l'attrait du vide ne saurait avoir qu'un temps...

Le chagrin, la peur, la douleur physique, le froid et le chaud dans leur excès, je me charge encore de leur opposer un visage honorable. Mais j'abdique devant l'ennui, qui

fait de moi un être misérable, au besoin féroce. Son approche, sa présence capricieuse qui affecte les muscles des
mâchoires, danse au creux de l'estomac, chante un refrain
que rythment les orteils, je fais plus que les redouter, je
les fuis. Ces deux femmes qui, d'incarner l'une la gratitude,
l'autre le dévouement, venaient d'élever entre elles des
barrières, eurent à mes yeux le tort de ne point s'avancer
jusqu'à des attitudes classiques. Elles n'usèrent pas du rire
outrageant, des insultes qui aveuglent comme le poivre,
des poings calés au creux de la taille. Elles ne réveillèrent
même pas des griefs conservés, minuscules et vivaces,
dans un long sommeil d'infusoires. Toutefois j'entendis
des échanges dangereux et des vocables tels que "névrosée... ingratitude... Touche-à-tout... s'immiscer... ". Je crois
que ce fut sur ce dernier verbe, sifflant à souhait, que
Mlle Devoidy se leva, nous jeta un bref au revoir d'une
bouche amère et cérémonieuse, et sortit.

Un peu tard, je manifestai l'agitation convenable :

— Mais voyons... Mais ce n'est pas sérieux... Quel
enfantillage! Qui se serait attendu...

Mme Armand ne fit qu'un petit mouvement d'épaules,
une manière de "laissez donc!". Le jour baissant rapidement, elle étendit le bras et alluma la lampe du chevet,
nichée au centre d'un juponnage en marceline saumon.
Aussitôt le caractère démoralisant de la chambre changea
et je ne cachai pas mon contentement, car l'abat-jour,
pour ruché et prétentieux qu'il fût, filtrait une clarté d'un
rose enchanteur de coquille marine. Mme Armand sourit :

— Je crois que nous sommes contentes toutes les
deux, dit-elle.

Elle vit que j'allais parler encore de l'incident désa-
gréable et m'arrêta :

— Laissez, madame, ces petites piques-là, moins on s'en occupe et mieux ça vaut. Ou bien ça s'arrange tout seul, ou bien ça ne s'arrange pas et c'est encore le meilleur. Reprenez un doigt de vin. Si, si, reprenez-en, il est naturel.

Elle sauta de sa couche, en rabattant le bas de sa robe adroitement. En ce temps-là les femmes ne se laissaient pas glisser d'un divan ou d'une voiture en dénudant, comme aujourd'hui, avec une barbare et froide indifférence, une grande marge de peau de cuisse.

— Vous n'abusez pas de vos forces, madame Armand?

Elle allait et venait sur ses pieds chaussés de satin et de jais, ses pieds pudibonds jusque dans la mort. Elle versa le pseudo-porto, tira un velum sur la partie vitrée du plafond, se montra alerte non sans grâce, comme allégée. Une aimable femme, en somme, peu marquée par ses trente-six ans... Une femme qui avait voulu mourir...

Elle alluma une seconde lampe rose. La pièce, extraordinaire à force de banalité, respirait la fausse gaieté des chambres d'hôtel bien tenues.

Mon hôtesse vint prendre la chaise abandonnée par Mlle Devoidy, la planta près de moi avec décision.

— Non, madame, je n'accepte pas qu'on croie que je me suis tuée par neurasthénie.

— Mais, dis-je, je n'ai jamais pensé. Rien ne m'a donné à croire...

J'étais surprise d'entendre Mme Armand rappeler, comme un fait accompli, sa vaine tentative. Elle me livra, bien ouverts et appuyés sur les miens, ses yeux dont l'extrême et noir éclat ne révélait presque rien. Son petit front poli et sage, sous l'éponge de frisure, semblait n'avoir en effet jamais logé, entre deux beaux sourcils, le regrettable désordre appelé neurasthénie. De ses mains incertaines elle redressa dans leur vase, avant de s'asseoir, les violettes dont je voyais, entre ses doigts, trembler les tiges. "Les nerfs, n'est-ce pas... " Des mains maladroites même à mesurer une dose efficace de poison...

— Madame, dit-elle, il faut vous dire d'abord que j'ai toujours eu une bien petite vie...

Un tel exorde me menaçait d'un long récit. Pourtant je restai.

Il est facile de relater ce qui n'importe guère. La mémoire ne m'a pas manqué pour consigner les paroles oiseuses des deux voisines de palier, leurs ridicules bénins, m'attacher à les faire ressemblantes. Mais à partir des mots : " J'ai toujours eu une bien petite vie... " je me sens délivrée des soucis médiocres qui s'imposent à l'écrivain, par exemple de noter fidèlement les trop fréquents "d'un sens ", les "ce que c'est que de nous " qui remontaient comme des bulles sur le récit de Mme Armand. S'ils facilitèrent son récit, c'est à moi de les en ôter. Il m'appartient d'abréger, et aussi de supprimer, de notre entretien, mon insignifiant apport personnel.

— Une bien petite vie... J'ai épousé un si brave homme. Un homme aussi parfait, travailleur, dévoué et tout, ça ne devrait pas exister. Qu'est-ce que vous voulez qui arrive d'imprévu, avec un homme aussi parfait? Et nous n'avons pas eu d'enfant. Pour ne pas vous mentir, je crois que je m'en suis passée facilement.

"Une fois, un jeune homme du quartier... Oh! non, ce n'est pas ce que vous attendez. Un jeune homme, qui avait le front de m'interpeller dans l'escalier, parce que c'était sombre. Pour beau, je dois reconnaître qu'il était beau. Il me promettait monts et merveilles, bien entendu. Il me disait : " Je ne te prends pas en traître.

Avec moi tu en verras de vertes. Tu peux compter que je
te ferai crever aussi bien de chagrin que de bonheur. Ce
sera à ma fantaisie, mais pas à la tienne... " Ekcetera,
ekcetera. Une fois il me dit : " Donne-le-moi voir, ton
petit poignet. " Je ne le lui donne pas, il me le prend,
il me le tord. Plus de dix jours je n'ai pas pu me servir
de ma main et c'était mon petit Exo qui me la soignait.
Le soir, après m'avoir mis un velpeau propre au poignet
— je lui avais raconté que j'étais tombée — il regardait
longtemps ce poignet bandé. J'avais honte, je me faisais
l'effet d'un chien qui rentre à la maison avec un collier
que personne ne lui connaît et à qui on dit : " Mais d'où
donc que tu nous ramènes un collier pareil? " Comme
quoi les moins malins ont leur finesse.

" Avec ce jeune homme, ça a fini avant de commencer.
Savez-vous ce que je n'ai pas pu supporter? C'est que ce
monsieur, à qui je n'ai jamais répondu trois paroles, se
permettait de me dire " tu ". Il était sorti comme de dessous terre devant mes pas. Eh bien, il y est rentré.

" Depuis? Mais rien. Ce qui s'appelle rien. Il n'y
a pas de quoi vous étonner. Beaucoup de femmes et pas
des plus vilaines seraient dans mon cas, si elles ne pous-
saient pas à la roue. Il ne faut pas croire que les hommes
se jettent sur les femmes comme des anthropophages.
Mais non, madame. Ce sont les femmes qui en font courir
le bruit. Les hommes sont bien trop précautionneux de
leur tranquillité. Mais bien des femmes ne supportent pas
qu'un homme se tienne convenablement. Je sais ce que
je dis.

" Moi, je ne suis pas d'un tempérament à penser beaucoup aux hommes. D'un sens, il aurait peut-être mieux
valu pour moi que j'y pense. Au lieu de ça, qu'est-ce qui

m'a pris, un matin en apprêtant un tendron de veau ?
Je me dis : " J'ai déjà fait un tendron aux petits pois samedi
dernier, ça va bien, mais il ne faut pas abuser, une semaine
passe si vite... Déjà onze heures, mon mari a un groupe
de baptême qui vient poser à une heure et demie, il faut
que j'aie fini ma vaisselle avant que les clients viennent,
mon mari n'aime pas entendre la vaisselle, ni fourgonner
le fourneau à travers la cloison quand les clients sont
dans l'atelier... Et après il faut que je descende, j'ai la
teinturière qui n'en finit pas de délustrer le complet noir
de mon mari, je vais lui passer quelque chose... Si je suis
rentrée pour mon repassage avant la nuit ce sera bien un
hasard; tant pis, je r'humecterai mes rideaux de vitrage
et je les repasserai demain, plutôt que de les roussir aujourd'hui. Après, je n'ai plus que le dîner à m'occuper
et deux trois bricoles et c'est fini... "

" Et au lieu d'ajouter, comme je faisais souvent : " C'est
fini... Pas trop tôt... " Je continue : '" C'est fini ? Comment,
fini ? C'est tout ? C'est toute ma journée d'aujourd'hui,
d'hier, de demain ?... Mais je rêve. Je dois bien avoir
autre chose, voyons, dans ma journée ? " Le soir, j'étais
couchée que je ruminais encore mes imbécillités. Le lendemain j'allais mieux et je devais faire des confitures,
mettre des cornichons au vinaigre, vous pensez si j'envoie
Mlle Devoidy aux commissions, c'était bien son tour,
pour me consacrer à éplucher mes fraises et à frotter mes
cornichons dans le sel. J'étais bien à mon affaire, quand
ça me reprend : " Les événements de ma vie, alors, c'est
le jour des confitures ? La bassine de cuivre, attention,
elle a le fond rond, si elle bascule sur le trou de la cuisi-
nière, quelle catastrophe !... Et je n'ai pas assez de pots
en verre, il faut que Mme Gâteroy me prête ses deux pots

à confits d'oie, si elle peut... Et quand j'aurai fini mes
confitures, qu'est-ce qui viendra comme événement sensa-
tionnel? " Enfin voyez le tableau.

"Il n'était pas cinq heures que voilà mes confitures
faites. Faites et mal faites. Ratées comme jamais, en caramel. Heureusement que la fraise était pour rien. Et me
voilà repartie : " Demain, voyons, demain... Demain nous
avons cette dame qui vient pour le collage des épreuves
sur carton-fibre. " Le carton-fibre était une nouveauté
imitation de feutre, qui donnait beaucoup d'allure aux
photos sport. Mais il demandait un tour de main, une
colle spéciale. Une fois par semaine, nous avions donc
cette dame, je la gardais à déjeuner, ça me faisait une
distraction. Nous n'y perdions pas, elle employait admira-
blement son temps et pour elle c'était mieux que de courir
à la crémerie chaude. Je rajoutais une friandise, une bonne
charcuterie...

"Mais ce jour dont je vous parle, j'ai senti que tout
m'était égal, ou plutôt que rien ne me suffisait. Et les
jours suivants... je les passe sous silence.

"Vous dites? Oh! non. Oh! vous faites erreur, je ne
méprisais pas mes occupations, au contraire. Jamais je
ne m'y suis tant appliquée. Rien n'a cloché. Sauf que je
trouvais le temps long et qu'en même temps je cherchais
ce que j'aurais pu y introduire... La lecture? Vous avez
sûrement raison. La lecture est une bonne distraction.
Mais j'ai le caractère si mal fait que presque tout ce que
j'ai essayé de lire me paraissait... un peu maigre, plutôt
pauvre. Toujours cette manie de quelque chose de grand...
Mon ménage fait, ma journée finie, j'allais respirer sur le
palier — comme si de là j'avais pu voir plus loin. Mais
palier ou pas palier, j'en avais assez et pire qu'assez.

“ Pardon?... Ah! vous mettez le doigt sur la difficulté. Assez de quoi, justement? Une femme si heureuse, comme disait Mme Gâteroy en parlant de moi. Une femme si heureuse, mais parfaitement, c’est ce que j’aurais été si j’avais eu dans ma petite vie, de place en place, quelque chose de grand. Ce que j’appelle grand? Mais je n’en sais rien, madame, puisque je ne l’ai pas eu! Si je l’avais eu même une fois, je vous garantis que j’aurais bien reconnu tout de suite que c’était grand! ”

Elle se leva, s’assit sur le lit, s’appuya des coudes sur ses genoux. Ainsi elle me faisait face. Une ride en incision entre les sourcils, un de ses yeux nerveusement rapetissé, elle ne me sembla pas plus laide, au contraire.

“ Que c’est curieux, les pressentiments, madame! Pas les miens, je parle de ceux de mon mari. De but en blanc, il m’a proposé à cette époque-là : “ Si tu veux, en juillet nous retournerons un mois à Yport comme il y a deux ans, ça te ferait du bien. ” Yport? Oui, ce n’est pas mal, assez famille comme plage, mais les personnalités parisiennes ne manquent pas. Tenez, quand nous y étions, nous voyions tous les jours Guirand de Scevola, ce peintre qui est devenu si connu. Il peignait la mer en furie, d’après nature, les pieds de son chevalet dans l’écume des vagues. C’était un vrai spectacle. Tout le monde le regardait... Naturellement j’ai répondu à mon petit Exo : “ Tu prends bien ton temps d’aller manger nos quatre sous à la mer! — Quand il s’agit de toi, il m’a fait, rien ne compte. ” Ce jour-là et beaucoup d’autres jours, je me suis bien juré de ne jamais peiner un homme pareil. D’ailleurs ce n’est pas d’aller à Yport qui aurait introduit quelque chose de grand dans ma vie. A moins de sauver un enfant qui se noie... Mais je ne sais pas nager.

“ De fil en aiguille, je me suis rendue bien malheureuse,
je l’avoue. A force, qu’est-ce que j’ai été imaginer? J’ai
été imaginer que ce que la vie ne pouvait pas faire pour
moi, je le trouverais dans la mort. Je me suis dit que lorsque
la mort s’approche de vous, pas trop vite, pas trop fort,
on doit avoir des minutes sublimes, que les pensées s’élè-
vent, que vous quittez tout ce qui est mesquin, tout ce
qui vous a rapetissé, les nuits de mauvais sommeil, les
misères du corps... Ah! quel dédommagement j’ai inventé...
Tout mon espoir, je l’ai transporté dans ces moments-là,
figurez-vous...

“ Oh! mais si, madame, j’ai pensé à mon mari! Des
jours et des jours, des nuits et des nuits. Et à son chagrin.
Faites-moi l’honneur de croire que j’avais pesé, envisagé
ceci et cela avant de me mettre en route. Mais une fois en
route j’ai été tout de suite très loin... ”

Mme Armand baissa les yeux sur ses mains qu’elle
avait croisées, eut un sourire inattendu :

“ Madame, on meurt très rarement d’avoir perdu quelqu’un. Je crois qu’on meurt plus souvent de quelqu’un
qu’on n’a pas eu. Mais pensez-vous qu’en me donnant
la mort je ne perdais pas cruellement mon mari? Et puis,
à tant faire, mon Geo bien-aimé aurait toujours pu me
rejoindre, s’il avait eu trop de peine... Faites-moi l’avantage
de croire qu’avant de me mettre en route je me suis occupée
des moindres détails. Ça n’a l’air de rien, mais j’ai eu beaucoup de complications. On pense que c’est une petite
affaire que de s’étendre sur son lit, d’avaler une horreur
quelconque et adieu! Rien que pour me procurer cette
drogue, qu’est-ce que je n’ai pas trafiqué et raconté comme
craques! J’ai profité dare-dare du jour où un accident de
lumière rouge, au laboratoire, obligeait mon mari à sortir

tôt après le déjeuner... Un peu plus je plantais tout là!
Mais j'étais reprise, j'étais soutenue par mon idée, par la
pensée de cette... cette espèce de...

Je risquai un mot duquel Mme Armand s'empara avidement :

— Oui, madame, apothéose! Justement, apothéose.
Ce jour-là, j'étais inquiète, je me demandais quel avaro
me tomberait encore. Eh bien, la matinée a passé comme
une lettre à la poste. Au lieu de déjeuner, j'ai pris une
infusion. Les draps brodés au lit, le ménage soigné, la
lettre à mon mari cachetée, mon mari pressé de sortir...
Je l'ai rappelé pour lui donner son paletot de demi-saison,
et je le croyais parti qu'il était encore là, il avait cassé ce
flacon d'hyposulfite, vous vous souvenez?

" Je me crois enfin toute seule, je ferme la porte à clef,
je m'installe. Oui, ici, mais dans le lit, les oreillers brodés
derrière mon dos, tout frais. Bon! A peine couchée, je
repense à la blanchisseuse. Je me relève, je marque un mot
sur un papier et je me recouche. D'abord j'avale un cachet
qui devait empêcher les spasmes de l'estomac et j'attends
dix minutes comme on m'avait prescrit. Et puis j'avale
la drogue, en une fois. Et je vous prie de croire — Mme Armand tordit un peu la bouche — que ça n'avait rien d'une
friandise.

" Et puis?... Et puis j'attends. Non, pas la mort, mais
ce que je m'étais promis avant elle. J'étais comme sur un
embarcadère. Non, non, je ne souffrais pas, mais je me
faisais vieille. Pour comble, mes pieds qui étaient chaussés
s'échauffaient au fond du lit, ils me faisaient un mal de
chien partout où ils sont abîmés. Pire que ça : je m'imagine
qu'on vient de sonner! Je me dis : " C'est un fait exprès,
je n'en finirai pas. " Je me relève assise, je me récapitule

s'il n'y a pas de rendez-vous pris pour une pose, j'écoute...
Mais je crois que c'étaient les bourdonnements d'oreille
qui commençaient. Je me recouche et je dis une petite
prière, quoique je ne sois pas particulièrement croyante :
"Mon Dieu, dans votre infinie bonté, prenez en pitié
une âme malheureuse et coupable... " Impossible de me
rappeler le reste, ma foi... Mais ça pouvait suffire, n'est-ce
pas.

"Et j'attendais toujours. J'attendais ma récompense,
mon grand arrivage de belles pensées, une grande paire
d'ailes pour m'emmener, pour m'égarer, que je ne sois
plus moi... La tête me tournait, je croyais voir des grands
cercles autour de moi... Un moment j'ai été comme quand
on rêve qu'on tombe du haut d'une tour, mais rien de
plus. Rien, croiriez-vous, que mes idées et mes tracas
de tous les jours et de ce jour-là. Par exemple, je me tour-
mentais que mon petit Exo, le soir, n'ait en rentrant que
la viande froide et la salade avec la soupe réchauffée...
En même temps je pensais : "Ce sera encore de trop, le
chagrin de ma mort lui fera une barre sur l'estomac.
Tout le monde va être tellement gentil pour lui dans la
maison... Mon Dieu, prenez en pitié une âme malheureuse
et coupable... " Je n'aurais jamais cru que pour mourir
ce serait des pieds que je souffrirais le plus...

"Les bourdonnements et les cercles faisaient la roue
autour de moi, mais j'attendais toujours. J'attendais
couchée, si sage... "

Elle glissa vers le milieu du lit, retrouva l'attitude et
la passivité de sa mort différée, et ferma ses yeux dont
je ne vis plus que la ligne des cils, plumeuse et noire.

"Je ne perdais pas la tête, j'écoutais les bruits dans
l'escalier, je comptais tout ce que j'avais oublié, laissé en

pagaille de l'autre côté, je voulais dire le côté que je quittais,
je me reprochais mes promenades à pied que je faisais le
soir sans m'occuper si mon mari s'ennuyait tout seul,
sa journée finie... Des riens, des petitesses, des réflexions
sans intérêt, qui surnageaient sur les bourdonnements et
les cercles... Je me souviens vaguement que j'ai voulu
mettre mes mains sur ma figure et pleurer, et que je n'ai
pas pu, j'étais comme sans bras. Je me suis dit : " C'est
la fin. Comme c'est triste, que je n'aie pas eu dans ma mort
ce que je voulais dans la vie... "

" Oui, je crois que c'est tout, madame. Un froid terrible
est venu couper le fil de mes pensées, et encore je n'en
suis pas sûre. Ce qui est sûr, c'est que jamais, jamais plus
je ne me suiciderai. Je sais maintenant que le suicide ne
peut me servir à rien, je reste ici. Mais vous pouvez juger,
sans pouvoir offenser Mlle Devoidy, que j'ai toute ma tête
et qu'une névrosée et moi, ça fait deux. "

D'un coup de reins, Mme Armand se releva. Elle gardait, de son récit, une fièvre qui lui animait le teint. Notre
entretien finit en " au revoir, à bientôt! " comme sur
un quai de gare, après des récris sur " l'heure indue ",
et nous nous quittâmes — pour longtemps. Elle tint la
porte de l'appartement ouverte derrière moi afin que la
lumière de l'atelier me fît le palier plus clair. Je laissai,
sur son seuil, la dame du photographe, mince et solitaire,
mais non pas vacillante. Elle n'a pas dû chanceler une
seconde fois. Quand il m'arrive de penser à elle, je la vois
toujours appuyée sur ces scrupules que, modeste, elle
appelait tracas, et soutenue par les élans de la féminine
grandeur, humble et quotidienne, qu'elle méconnaissait
en lui infligeant le nom de " bien petite vie ".

FLORE ET POMONE

— Donnons un peu à boire aux jeunes mimosas, disais-je
à ma jardinière, en Provence.

Car les feux du ciel buvaient la sève de mes "quatre-
saisons" transplantés, et leur feuille oblongue, ressem-
blante à la feuille de l'olivier, pendait altérée. Mais la jardinière secoua le front :

— Ils ont eu de l'eau hier, ils n'en auront que demain.

— Mais regardez-les, ils ont soif!

La jardinière leva les bras :

— Ah! bien, si vous les écoutez, ils vous en raconteront! Tant plus vous leur donnerez, tant plus ils vous
demanderont. Déjà que je suis forcée, pour arroser les
tomates repiquées à côté d'eux, d'y aller comme en cachette!

Et pour un peu elle les eût menacés de sanctions comme
elle faisait à sa vie privée, accusée de "sonner midi"
vers onze heures et demie pour avoir plus tôt son repas.
Elle me troublait aisément, quand il s'agissait de la créature enracinée, par des paroles de devineresse ou de rebou-
teux. "Ils se font faibles exprès", disait-elle; elle désignait
les mimeuses des quatre-saisons, en baissant la voix. Je
n'étais, je ne fus toujours que trop portée à nommer

ruse et sentiment ce qui n'est — peut-être — que réflexe
mécanique, devant les pâmoisons et les résurrections du
végétal, ses voltes rapides vers la lumière, son âpreté
à ne point mourir, aussi bien qu'à tuer. Les amplifications
animées sur l'écran — gros miracle, indiscrétion majeure
de la photographie — m'ont, contrairement à ce que j'en
espérai d'abord, un peu refroidie, comme si le rôle de
l'exactitude photographique était parfois, en la démesu-
rant, de violer la vérité et d'abuser l'œil humain, de l'eni-
vrer au moyen de l'accéléré et du ralenti. Ce qui ment
au rythme ment, presque, à l'essence de la créature. L'angoisse et le plaisir de sentir vivre le végétal, ce n'est pas
au cinéma que je les ai le mieux éprouvés, c'est par mes
sens faibles, mais complets, étayés l'un par l'autre, non
en comblant, en renforçant follement ma vue.

Comme beaucoup de ceux qui ont vécu au contact de
la douce foule végétale, je connais sa bienveillance, et je
regimbe devant un rythme artificiel qui transforme la
germination et la lente croissance en ruées, les éclosions
en bâillements de fauves, le gloxinia en trappe, le lys en
crocodile et les haricots en hydres. Si l'on me veut faire
accepter la gigantisation du cinéma, qu'on m'y donne,
synchroniquement et à mensonge égal, le vacarme de la
plante, mille fois grossi lui aussi, le tonnerre des floraisons,
la canonnade des cosses éclatées et la balistique des
semences. Le végétal n'est pas un règne muet, encore que
le son de son activité ne nous parvienne que par chance
et exception, comme une récompense subtile accordée
soit à notre vigilance, soit à une de ces paresses qui valent,
par leur fruit, autant que l'observation.

Cours-la-Reine, j'aimais visiter les expositions florales,
qui jalonnaient si fidèlement l'année. L'azalée venait

d'abord, puis l'iris et les hortensias, les orchidées, pour finir par les chrysanthèmes. Je me souviens d'une extraordinaire prodigalité d'iris, en mai... Mille et mille iris, un massif d'azur avoisinant un massif jaune, un violet velouté confronté à un mauve très pâle, iris noirs couleur de toile d'araignée, iris blancs qui fleurent l'iris, iris bleus comme l'orage nocturne et iris du Japon à larges langues... Il y avait aussi les tigridias et leurs oripeaux de saltimbanques magnifiques... Mille et mille iris, occupés de naître et de mourir ponctuellement, sans cesse, de mêler leur parfum à une fétidité d'engrais mystérieux...

Pour bruyant qu'était notre Paris autrefois, il eut toujours ses moments imprévus d'apaisement. Cours-la-Reine, entre une heure et une heure et demie, les derniers camions ayant gagné leurs réfectoires, les amateurs de fleurs et de silence pouvaient goûter une trêve étrange, une solitude où les fleurs semblaient se remettre de la curiosité humaine. La chaleur filtrée par le plafond de toile, l'absence de toute brise, le poids somnifère d'un air chargé d'odeur et d'humidité, sont des biens dont Paris est d'habitude avare. Par milliers les iris semblaient couver fiévreusement l'été. La paix régnait mais non le silence, que troublait un bruit insistant et léger, plus fin que le grignotement d'une magnanerie, un bruit de soie égratignée... Le bruit d'élytre qui s'entrouvre, le bruit de patte délicate d'insecte, le bruit de feuille morte dansant, c'étaient les iris, dans la lumière propice et tamisée, desserrant la membrane sèche roulée à la base de leur calice, les iris qui par milliers éclosaient.

Crissement d'une existence, d'une exigence bien réelles, coup de force du bouton, saccades d'érection d'une tige exsangue à qui l'on vient de rendre son aliment liquide,

avidité des tiges aqueuses telles que la jacinthe, la tulipe,
le narcisse, croissance fantastique du champignon qui
monte en brandissant sur sa tête ronde la feuille qui l'a
vu naître, tels sont les spectacles et les musiques pour
lesquels le respect m'est venu, à mesure que s'aggravait
ma curiosité. Est-ce à dire que je ménage, par scrupule
et attendrissement, la sensibilité, la souffrance des végé-
taux, que je regarde à trancher la fibre, abattre la tête,
tarir la sève? Non. Aimer davantage n'entraîne pas à
une plus grande pitié.

Tous, nous tressaillons lorsqu'une rose, en se défaisant
dans une chambre tiède, abandonne un de ses pétales
en conque, l'envoie voguer, reflété, sur un marbre lisse.
Le son de sa chute, très bas, distinct, est comme une syllabe
du silence et suffit à émouvoir un poète. La pivoine se
défleurit d'un coup, délie au pied du vase une roue de
pétales. Mais je n'ai pas de goût pour les spectacles et les
symboles d'une gracieuse mort. Parlez-moi au contraire
du soupir victorieux des iris en travail, de l'arum qui
grince en déroulant son cornet, du gros pavot écarlate
qui force ses sépales verts un peu poilus avec un petit
" cloc ", puis se hâte d'étirer sa soie rouge sous la poussée
de la capsule porte-graines, chevelue d'étamines bleues!
Le fuchsia non plus n'est pas muet. Son bouton rougeaud
ne divise pas ses quatre contrevents, ne les relève pas
en cornes de pagode sans un léger claquement de lèvres,
après quoi il libère, blanc, rose ou violet, son charmant
juponnage froissé... Devant lui, devant l'ipomée, comment
ne pas évoquer d'autres naissances, le grand fracas insaisissable de la chrysalide rompue, l'aile humide et ployée,
la première patte qui tâte un monde inconnu, l'œil féerique

dont les facettes reçoivent le choc de la première image
terrestre?... Je reste froide à l'agonie des corolles. Mais
le début d'une carrière de fleur m'exalte, et le commencement d'une longévité de lépidoptère. Qu'est la majesté
de ce qui finit, auprès des départs titubants, des désordres
de l'aurore?

Défense, attaque, lutte pour durer et vaincre : nous ne
voyons pas, sous notre climat, le pire des combats que se
livrent les grandes et dévorantes plantes exotiques, mais
ici la douce petite grassette roule sur l'insecte sa feuille
poilue et le digère, le siphon de l'aristoloche s'emplit
de victimes minuscules. L'appétit d'un végétal, s'il le fait
ressembler à l'animal, je ne l'aime pas plus que je n'aime
une bête humanisée. "Vous ne voulez pas que je vous
donne un petit singe?" me proposait-on. "Non, merci,
répondis-je, je préfère un animal." Je bannis les fleurs-
pièges, leurs jeux de mandibules, les sécrétions mortelles.
Que de crimes, perpétrés d'un règne sur un autre règne!
Ne vais-je pas avoir encore à délivrer, ce printemps,
l'abeille prise au vernis de ton bourgeon gommeux, beau
marronnier rose? Du moins tu es beau. Mais que penser,
pour la honte de la famille des pieds-de-veau, d'un certain
arum?... Sa hampe phallique épanouit autour d'elle une
senteur de viande corrompue, qui abuse et enivre des
nuées d'insectes. Ils se ruent à l'ivresse, puis à la torpeur,
on les voit sur elle agglutinés, entassés dans son cornet,
se disputer tout ce qu'elle dispense, mort comprise, et,
prostrés, ils oublient l'antagonisme. J'aimerais avec horreur savoir...

Non, je n'aimerais pas savoir. Que le petit secret noir
reste gisant au fond de la fleur-mauvais-lieu. La belle

avance que de définir, nommer ou prévoir ce que l'ignorance me permet de tenir pour merveilleux! La fleur n'eſt
pas explicable, ni son influence sur nous. Un feuillage,
par la forme et le coloris, eſt-il merveilleux? Notre inter-
rogation va quand même à sa fleur modeſte. Un adolescent
perdit une bonne part de son admiration pour le bougain-
villéa, ce manteau de feu orangé, violacé, rose, qui couvre
des murs algériens. "Depuis que je sais que ce ne sont
que des braċtées...", dit-il sans s'expliquer davantage.

Eh oui, des braċtées seulement. Nous ne voulons révé-
rer que le cratère, qui eſt la fleur.

Dieu sait si j'admire, sur les terres légères de l'Ile-de-
France, les enclos fruitiers. Maniés et remaniés, ameublis,
tourmentés par l'homme, enrichis par lui, il n'eſt pas un
pouce de certains cantons choyés qui n'ait porté cerise
ou poire, groseille ou framboise. La taille en gobelet met
le fruit à portée de la main, creuse l'arbre pour que le
rayon et la brise y descendent. A qui donner le prix,
entre la framboise embrumée de pruine mauve, la mont-
morency d'une chair si fine que le noyau y transparaît
à contre-jour, la mirabelle piquetée comme une joue?
Pourtant la gloire d'un arbre à fruit, l'image la plus tenace
qu'il dépose en nous, la plus passionnément contemplée,
c'eſt le souvenir de sa floraison éphémère. Les manchons
blancs passés aux bras des cerisiers, le blanc-vert hâtif
qui étoile les pruniers, le blanc crémeux hérissé d'étamines
brunes des poiriers, enfin les pommiers blancs comme
des roses, roses comme la neige à l'aurore — cette écume,
ces cygnes, ces fantômes, ces anges, en huit jours naissent,
déferlent et s'anéantissent, meurent épars. Mais cette
semaine efface la solide splendeur, la durable et joyeuse
saison des fruits. La main pleine et soupesant une longue

poire, nous disons : " Te souviens-tu de tous les poiriers
de ce coteau, fleuris le même jour? "

C'est que modeste, et petit, et de peu de couleur, un
fleurissement garde tous ses caractères d'explosion, tandis
que le départ de la feuille ne la mène qu'à grandir. Beauté
du caladium et de sa grande feuille oreillarde, irriguée de
rose, de vert, de marron! Mais elle n'est qu'une large
feuille après avoir été une petite feuille. Du bouton à
la corolle intervient un miracle d'effort, puis d'éclatement.
Seule la fleur a son sexe, son secret, son apogée. Après
elle, la graine convulsive de la balsamine et sa mitraille,
la crépitante cosse de l'ajonc mûr, ont elles-mêmes moins
de mystère.

Depuis combien de temps l'homme échange-t-il sa vie
contre la conquête de la plante? Une fleur, tout pour une
fleur! Et l'alpiniste se tue au moment d'atteindre la gentiane, le rosage, l'édelweiss. Les explorateurs d'un autre
hémisphère — qu'ils s'appellent Marcoy, Charnay ou Har-
mand —, traversent l'Amérique du Sud, d'océan à océan,
affrontent le Mexique... Pour une fleur? Non, mais ils
rencontrent la tentation de la fleur, qu'ils ne croyaient
pas si puissante. Là-bas, la fièvre les prend, les quitte et
les reprend, des serpents bleus et verts se balancent au-
dessus de leurs têtes, et les fauves hésitent, étonnés, devant
l'homme blanc. Cependant celui-ci cueille des orchidées,
s'installe sur un petit pliant, au carrefour de quatre ou
cinq risques mortels, et croque entre deux tornades un
orchis et son appareil de pétales, d'antennes, de langues,
de lunules et de chiffres, avant que ne se ruent les fourmis
invincibles... Un de mes héros, qui tenait l'affût sur un
sentier de jaguars, lève les yeux, voit au-dessus de lui
une fleur inconnue, et, dédaigné, le jaguar passe, assez

frais, assez fleuri de taches pour rivaliser avec l'*oncidium papilio* que vient de lui préférer le chasseur... A la halte, l'homme de science, doublé d'un enfant ébahi, oubliait son estomac creux, ses pieds blessés, les moustiques démesurés et les scorpions pour donner ses premiers soins à sa plante mi-morte. Il la ployait et la fixait dans l'herbier, où elle devenait encombrante, comme sont tous les cadavres...

Je lis et relis, avec respect et amusement, ces mémorables voyages de pauvres. Presque pas d'argent, trois mules fourbues, quelques fusils, une poignée de nègres, de la verroterie, et... l'herbier. C'est l'herbier qu'un homme brandissait, nageant d'un bras, au-dessus des rapides, — l'herbier que l'on couvrait de ponchos et de palmes pour le préserver des déluges tropicaux, lui qu'on enfermait dans une cantine de fer-blanc à cause des termites... Il arrivait que l'herbier parvînt jusqu'à un musée et que s'endormît, dans un hypogée provincial, la merveille disséquée, stérilisée, plus légère qu'une pomme frite, plate et méconnaissable, pareille à ce qui n'a jamais vécu. Et l'honnête homme, le coureur de jungles, à jamais humble et courageux, s'évertuait à la faire revivre : " Vous voyez, cette partie de la plante est, dans la nature, d'un rose carné indicible, tavelé de pourpre... Ici la fleur détache de sa corolle une aigrette aérienne d'étamines, un rostre du plus beau jaune d'or... Naturellement, on ne peut plus se rendre compte... Quant au parfum, il est si suave et si impérieux ensemble, qu'il éloigne le sommeil... Les nuits, sous ces latitudes... " Et il interrompait l'impossible description par un geste d'impuissance...

Il savait pourtant parler de ce qu'il aimait, et même écrire assez bien, cet homme qui parcourait les antipodes

avant le secours du cinéma ambulant, de la téléphonie
avec ou sans fil, qui se mettait en tête de remonter le
Zambèze et l'Amazone, de forcer les secrets du Mato-
Grosso et de rapporter entre son sein et sa chemise un
bulbe jusque-là inaccessible. Outre les noms que j'ai dits,
il s'appelait aussi Baker et Serpa Pinto. Il portait, sinon
d'étranges favoris, une barbe à n'en pas croire les yeux,
des cheveux de lion qui, assurait-il, le gardaient des rayons
du soleil comme de la rosée des nuits tropicales. Ingénu-
ment, il emmenait d'Europe ses chiens préférés, des épa-
gneuls de marais, et jusqu'à des bouledogues anglais,
puis il pleurait de les voir mourir, quasi grillés vifs, sous
soixante degrés centigrades. Il savait se priver de tout,
mais il emportait ses répugnances bourgeoises et ne pouvait s'habituer à des mets indigènes, à une céréale qui
l'eût guéri de la dysenterie. C'est ce brave, ce cœur pur,
cet enfant, ce petit Français tatillon, celui-là et nul autre,
qui s'en allait cueillir des fleurs dans des marécages plus
hantés qu'un mauvais songe, nanti pour toute panacée
d'un bon kilo de quinine...

Cet homme-là, je ne me fie qu'à lui aujourd'hui pour
courir le monde sans quitter mon fauteuil. Avec lui je
chasse le lion, je sauve un oiseau-mouche assailli et cisaillé
par *deux* fourmis féroces et démesurées, et je conquiers
délicatement sur quelque branchage gigantesque, entre un
python à jeun et un nid de guêpes maçonnes, l'extrava-
gante *oncidie* de Galeotti.

Est-ce à dire que je suis particulièrement férue, comme
lui, de l'espèce d'orchidée? Point. En vain, elle déploie
ses antennes rouges, se couvre d'arabesques couleur de
sang sec, dresse tous ses prestiges sur un socle-abdomen,
gros et pourpré comme une prune de Monsieur. Un autre

esprit floral des marécages funestes a beau se montrer
sous l'aspect d'une fée à peine rosée, tout en linge fin,
j'aurais vite fait, en si étrange compagnie, de soupirer
après une rose. Mais mon guide, mon fiévreux, mon
errant aux pieds écorchés, traque l'orchis, et je le suis.
Il chemine plein de foi avec un perroquet sur l'épaule,
une petite chèvre fidèle qu'il a recueillie, un kangourou
en bas âge dans une poche de cuir suspendue à un bâton.
Il murmure, extasié, des litanies botaniques : " Ah! c'est
l'*aristolochia labiosa*, c'est la *trichopilia tortilis*... " Je ne lui
en veux que de m'apprendre des vocables latins quand je
voudrais des noms populaires. Mais de quels noms familiers coiffer des créatures folles de mimétisme, déguisées
en oiseaux, en hyménoptères, en plaies et en sexes? L'*aristolochia* a un bec de canard, une peste éruptive manifestée
en violet sur un fond blanchâtre, un grand jupon espagnol
qui pend à ses trousses et traîne l'odeur d'un cadavre. La
miltonia est agencée de lambeaux géographiques, continents mordorés sur mers jaunes. Va pour *oncidium*, va pour
stanhopea et pour *trichopilia*. Et je consens à mon guide
son suprême mirage : une ville natale où il prémédite de
déposer miraculeusement sauve, comme lui-même anémiée
et pâlie, la fleur unique, le précieux bulbe, le pauvre petit
monstre frileux, — ce qui reste de la volante orchidée,
arrachée aux continents noirs.

La création d'un jardin remonte en nous à des concep-
tions enfantines. En perdant l'enfance, nous perdons une
grande part du don d'inventer. Seuls nos jardins d'autrefois ont été des créations authentiques, en dépit de leur
apparente naïveté, leurs dimensions exiguës d'enclos
plantés de têtes de soucis, de fanes de carottes et de

baies d'aubépine, entourés d'une rivière minuscule dont
le sable buvait sans cesse ce qu'y versait d'eau notre petit
arrosoir. Chaque enfant à sa guise a dessiné son jardin.
Mon second frère érigeait des tombeaux pour poupées,
des stèles à la taille d'une musaraigne, entre lesquels se
promenait son âme où personne jamais ne put lire. Plus
simple, j'avais, dès mon jeune âge, horreur des allées
droites et des jardins quadrilatères. Je les voulais soumis
aux courbes, et toujours accotés à quelque flanc, à quelque
futaie, et regardant le sud ou l'ouest. Aucun être ne change
assez pour que l'on ne puisse reconnaître, dans les décors
d'agrément que l'âge adulte réalise, l'improvisation qui
s'élançait d'une enfant, s'aidait de la brouette-joujou,
prenait corps dans un coin du potager, ou sous le plafond
serré de l'if.

Bien des jardins m'ont laissé leur souvenir. Presque
tous me contentèrent, sauf ceux qui étaient trop jeunes
et qu'il m'eût fallu planter. Passe encore de couvrir un
mur d'espalier, de restaurer les palmettes et les cordons.
Mais l'arbre dit d'agrément, si je le mets en terre, tarde
trop, je vais plus vite que lui. Sa belle tête dont l'ombre
sera ronde, ses grands rameaux désordonnés, je n'ai plus
le temps de les attendre. Un âge est pour le chêne, le hêtre,
et toutes essences méditatives. Notre automne venu, nous
pouvons encore avoir affaire gaiement à des arbustes porte-
fleurs, nous divertir avec les weigelias, les deutzias neigeux, un menu peuple de syringas, de robiniers, et ce
porteur de nues que le matin et la rosée irisent, l'arbre à
perruque...

D'une enfance et d'une adolescence sédentaires, bornées
par les limites de deux ou trois cantons, je n'appris pas
l'art horticole. Les châteaux environnants n'en savaient

guère plus que moi, car personne n'avait songé depuis
longtemps à rajeunir ou brouiller le dessin de leur parc
généralement Louis XIV, revu par le Second Empire.
Au centre de leur pelouse, devant la terrasse à lions écail-
leux, s'élevait le compotier à trois plateaux étagés qui
fournissait d'eau le bassin et ses poissons rouges. Alentour subsistaient les plates-bandes à la française, appau-
vries par la routine et le temps. Un air de parenté planait,
et pour cause, sur les massifs de ces gentilhommières.
Le jardinier du château de Saint-Sauveur approvisionnait
de semis les Jeannets, qui partageaient boutures et graines
avec l'Orme-du-Pont, dont le régisseur fleurissait à son
tour les parterres des Barres... Parfois un jardinier plus
jeune et moins nonchalant écrivait en plantes naines,
sur le versant de gazon qui soutenait la terrasse, des lettres
enlacées, un blason, et tentait de ressusciter, par un émon-
dage sévère, de très vieux orangers en caisses...

Les dimanches, nos promenades d'enfance et d'adolescence, mi-plaisir, mi-corvées, prenaient pour but un des
manoirs voisins, défendus seulement par des grilles ou-
vertes, des sauts-de-loup comblés, des murs que maintenait le lierre, que cimentait une mousse épaisse et velou-
teuse. Nous ne franchissions pas ces limites. La présence
et le renom de quelques vieilles familles un peu gourmées,
casanières, fidèles aux grand-messes, suffisaient à nous
barrer le passage. Par petites bandes de fillettes faussement
hardies, nous avancions jusqu'à une allée d'accès dont
le vide majestueux nous rendait muettes. Encore quelques
pas, un détour d'allée bastionnée de vieux lilas, de boules-
de-neige et d'althæs, et le château dévoilé, tout nu, réver-
bérait le soleil de quatre heures.

La grande voix de cloches des braques au chenil nous

dénonçait, mais nulle main ne poussait les hautes per-
siennes entrecloses, n'empoignait les mancherons d'une
brouette oubliée devant le perron. Les parfums qui chemi-
nent lentement venaient seuls à notre rencontre, délégués
par le rosier jaune poivré, le tilleul en fleur et le gros
pavot écarlate, dont la tige est poilue comme un marcassin
et qui est secrètement meurtri, au fond de sa corolle,
d'une tache bleue de sombre ecchymose.

Le silence, brodé à grands ramages par les abeilles et
les rainettes, une tiédeur sur laquelle se refermaient les
charmilles massives, un orage ballonné, tenu en respect
derrière la colline, la pédale lointaine d'une batteuse à
blé, — tels sont encore aujourd'hui les matériaux qui
me servent à reconstruire l'été, comme si la belle saison,
indépendante d'une chaude température, étrangère aux
plages oisives, fût remise au pouvoir d'une certaine len-
teur du temps, réservée aux provinces du Centre, sou-
cieuse de s'y tenir cachée, durable et cernée d'espaliers.
Vois-je une pêche téton-de-Vénus encore un peu verte,
déjà un peu rose, mordue et abandonnée sur l'allée par
la petite dent du loir qui la cueillit : je vois l'été. Les fenêtres
d'un manoir modeste béent-elles sur le noir des chambres,
leurs rideaux de mousseline aspirés au-dehors par le vent?
C'est l'été. L'été aussi, décanté en répliques rituelles échan-
gées par nos dames du village, qui marquaient le dimanche
en ouvrant leurs ombrelles; l'été dans le nom des fraises
d'autrefois qui s'appelaient le capron rose, la belle-de-juin,
la liégeoise-Haquin, celle-ci toute laide, que la maturité
pousse au bleu de cyanose, musquée comme un fruit
des tropiques et qui ne passait pas du potager à la table
sans s'écorcher, saigner, tacher la corbeille et la nappe...
Te voilà, été, et sous ton août tes hôtes qui craignaient

le soleil... A l'ombre, tu rangeais les enfants du château,
et les parents derrière les volets, alentour d'un goûter
bien servi... Mais la salle à manger est glaciale, et les enfants
éternuent. Entre la galette de plomb et le quatre-quarts
trône un cantaloup mystérieux comme un puits, qui a
bu un verre de porto et deux cuillerées de sucre en poudre...
Quand on sort après le goûter, le soleil a changé de place,
et les grenouilles chantent... Été, ô mon désert...

Une fois, arrêtée le nez entre deux barreaux d'une
grille, je vis au bord de la pelouse centrale une femme
épaissie en caraco blanc et vieux chapeau de paille, qui
fagotait, en se baissant avec peine, les surgeons de rosiers
fraîchement rognés. Un homme maigre et long la suivait
des yeux, et quand il souleva son chapeau pour s'essuyer
le front, je reconnus, à ses cheveux d'un blanc d'aluminium,
le maître du château.

— Repose-toi, Yolande, cria-t-il. Tu sais ce qui t'attend
si tu en fais trop!

La tâcheronne en caraco répondit par quelques mots
que je n'entendis pas, et je rougis d'avoir surpris dans
la plus humble intimité un couple qui ne se laissait voir,
à la messe dominicale, que redressé, en armure de taffetas
et d'empois, et répartissant ce qui lui restait de jeunesse
sur la distance comprise entre le marchepied du break
et le banc d'église marqué d'une couronne.

De tout temps le Français, en vivant par économie sur
sa terre, s'est avisé que la culture de la fleur et les soins
qu'elle demande sont des prodigalités de temps et d'argent.
Il limite son luxe horticole au rosier rustique, au complaisant lilas, à l'aubépine rouge, — encore accuse-t-il celle-ci
de lui "amener" les chenilles. Le villageois épris de son
jardin est tout de suite un "original". Mon chef-lieu de

canton avait son homme à la rose, de qui la vieille bouche
de tortue pinçait, d'un bout de l'an à l'autre, la tige d'une
rose. L'hiver, il chambrait tout un harem de roses en
pots dans sa petite maison. Le gloxinia apparut très tard
chez nous, et créa quelques rivalités. Il ne détrôna pas la
grande "chenille", ce manchon de campanules mauves,
qui monte démesurément, encadre d'un seul jet les fenêtres
et les fleurit toute une saison.

La gentilhommière bretonne a ses grands lotiers arbo-
rescents, ses genêts, même ses mimosas, et ses nobles
voies d'accès en rayons d'étoile, plantées de sextuples
rangées d'arbres, ses remparts compacts de sapins, égaux
et sans brèche. Inhospitalier de nature, le Français soigne
d'une manière défensive ses abords immédiats, s'entoure
d'églantier, d'épine noire et de genévrier; il barbèle au
besoin son jardin, et sa première débauche d'imagination
est pour la clôture. Dans le Midi, le marchand de parcelles
a inventé une tentation pour l'acquéreur. Les cases de
son lotissement, il les entoure d'un petit mur qu'il somme,
en outre, d'une palissade. Et rassuré, mis en goût du
"chez soi" par la grille et la serrure, le nouveau propriétaire colle derrière ses barreaux son sourire qui montre
un peu les dents, puis il prend sur son terrain les mesures
d'un jardin méridional.

Le jardin de ma maison natale perdit, le temps l'aidant,
l'habitude d'écarter les intrus. Je ne lui connus qu'une
grille bénigne, des portes entrebâillées le jour et la nuit.
La porte charretière, tout le village savait comment secouer
son gros vantail pour faire tomber, derrière, une lourde
barre de fer qui eût dû le verrouiller. Les dernières recom-
mandations, à l'heure du couvre-feu, étaient à rebours
du bon sens : "Surtout qu'on ne ferme pas la porte du

perron, une des chattes n'est pas rentrée! La porte du
fenil est-elle ouverte, au moins? Sans quoi le matou viendra
encore miauler sous ma fenêtre à trois heures du matin
pour que je le fasse entrer! "

Jardin d'En-haut, jardin d'En-bas — leurs noms en
disent assez sur la dénivellation du sol — nous laissaient
sortir clandestinement, le mur enjambé, et clandestinement
rentrer. Tous deux, mêlés d'utile et de superflu, mettaient
la tomate et l'aubergine aux pieds des pyrèthres, repi-
quaient les laitues entre les balsamines et les héliotropes.
Si nos hortensias étaient royalement bouffis de têtes roses,
ce n'était pas le résultat de soins particuliers, c'est qu'ils
touchaient presque la pompe, bénéficiaient ainsi des fonds
d'arrosoirs jetés à la volée, des rinçages de cruches, et
qu'ils buvaient leur saoul. Pour le prestige de notre jardin,
fallait-il davantage qu'un chèvrefeuille centenaire et infa-
tigable, que la glycine en cascatelles et le rosier cuisse-de-
nymphe? A eux trois, grimpant, descellant la grille, tordant
une gouttière et s'insinuant sous les ardoises d'un toit,
ils m'enseignèrent ce que sont la profusion, les adhérents
parfums et leur excès de douceur.

Chacun enfante à sa ressemblance. Mes amis vous
diront que je n'aménage pas de jardins graciles et clair-
semés. Je me plais au gros paquet fleuri qui barre tout
à coup l'allée, borne la vue, et je n'aime pas qu'un glorieux
paysage entre à toute heure dans ma maison par toutes
les issues. A un arbre qui le mérite, je donne l'air et l'espace,
d'urgence et comme si je dusse moi-même périr suffoquée.
Mais le désordre dans les jardins que je dirigeai fut toujours
une simulation. Un certain échevèlement ne s'obtient
qu'avec la collaboration du sécateur.

Mes yeux étonnés ont vu un jardin de Blasco Ibañez,

meublé de bancs massifs en faïence, où sur fond blanc
se voyaient, émaillés, tous les fruits, pommes, abricots,
oranges et poires. Verger monumental, fruits d'émail funé-
raire, à briser les dents des vivants et des morts, — bancs
de repos aussi accueillants et douillets, ma foi, qu'un lit
de parade espagnol.

Une longue préméditation, une rêverie appliquée ne
portent pas grand profit aux jardins de notre France. Je
n'ai jamais contemplé les jardins de Claude Monet, mais
je sais qu'il les voulait par moments bleus, et roses d'autres
fois. Parmi ces aspects dont il avait seul concerté la magni-
ficence, il allait, pareil à lui-même, dans un ample vêtement
clair, et je me souviens que mon impertinente jeunesse
porta, sur ce bel hôte immuable des changeants édens, un
jugement scandaleux en ce sens que j'eusse voulu voir
le maître des jardins décliner ou reverdir, tour à tour
sombre et vermeil, selon son humeur et son âge, au milieu
des saisons et des plantes soustraites à sa tyrannie d'artiste.
Mais peut-être m'a-t-on mal raconté Monet et ses fleurs
gouvernées?...

Par contre, j'aime le mot d'une Française revenue d'un
long séjour dans des pays où la morne exubérance ne
connaît presque pas de variété : "On peut à la rigueur
se passer de printemps. Mais ne pas avoir d'automne,
non, à la fin, c'était au-dessus de mes forces." Mot singu-
lier, et qui semble que nous puissions espérer davantage
du trépas annuel que des prémices. Comme disait le plus
aimable illettré, amateur de jardins et de tout ce qui vit,
périclite et prospère : "Que voulez-vous, il faut des
intempéries!"

Né à quarante kilomètres de Paris, à peu près de mon

âge, mon illettré ne savait ni lire ni écrire. Quand je m'en
étonnais, il disait simplement que " ça ne s'était pas trouvé
comme ça".

— Mais la loi qui rend obligatoire...

A ces mots, il tournait son regard vers le profond et
dense horizon qui l'avait protégé du gendarme et du
maître d'école : la forêt de Rambouillet commençait à
ma porte et semblait ne finir nulle part, belle forêt doma-
niale dont je ne connais que les tracés les plus battus et
les plus clairs, les routes qui mènent au muguet des étangs
de Hollande, aux jacinthes du Gros-Rouvre, aux ané-
mones sauvages des Mesnuls, aux grandes digitales rouges
des bois taillis au-dessus de Saint-Léger...

Mais pour mon illettré sympathique, la forêt n'était
pas prodigue que de fleurs. Gîte, refuge, école, livre où
la science renaissait pour lui vierge et cristalline, écrite
en rais de soleil et de pluie, il tenait tout de la forêt et
n'avait jamais quitté les nids, les futaies, les gibiers... Au
demeurant, un petit homme maigrelet, et sa fragilité
l'avait, me confiait-il, engagé à se marier, et à habiter
sous un toit. Sur le tard, il faisait des journées de jardinier
chez les Parisiens qui mordillent le bord de la forêt et y
construisent de façon périssable. Chez moi, il ne travailla
guère, je gaspillais tout son temps à consulter la sûre
mémoire sans défaillance d'un être que ne trouble pas,
ni n'encombre la routine typographique, la figure imprimée
des mots. Que je me sentais pauvre quand il me parlait!
Dans sa bouche, les noms de l'oiseau, de l'arbre et de
l'herbe, les chroniques de la forêt s'ajustaient à leur objet
comme l'abeille à la fleur. Une bienveillance, — j'allais
écrire une sainteté particulière —, le détournait de bra-
conner et de dénicher. Les braconniers souvent sont subtils,

et m'intéressent. Ils sont pleins d'enseignements quand
leur humeur les porte au récit. Mais quelque chose dans
leur silence m'éloigne d'eux. Leur mutisme a trop écouté
les derniers sons des dernières terreurs qui hérissent la
plume, agglutinent le poil et voilent d'une taie bleuâtre
les doux yeux des bêtes capturées.

J'essayai d'éclairer, aux lumières de mon sapient illettré,
l'ignorance où je suis de ce qui touche l'oiseau. Mais
j'aurais dû commencer plus tôt, et Jacques Delamain,
mon autre maître, est né trop tard. En outre il faut, si
l'on veut connaître l'oiseau, de très bons yeux. Je n'eus
qu'une part d'amateur, et les surprises joyeuses qu'elle
comporte. J'eus le rouge-gorge qui descendait, menaçant,
jusqu'au-dessus du front de la Chatte. Je me récréai,
une courte saison, sur l'abondance des bergeronnettes
et leur hardiesse à suivre mon jardinier; il leur jetait larves
et vers exhumés par le tranchant de sa bêche, et elles les
happaient au vol, comme des poules familières. Je gavai
de graines un couple de pinsons qui entraient dans la
petite salle à manger en survolant la Chatte du seuil. Si,
au frôler d'une aile, une lumière chasseresse, oubliée, se
rallumait dans les yeux de la Chatte, je n'avais qu'à lui
reprocher tout bas : " Chatte!... " et elle éteignait, pour
ne me point déplaire, ses fanaux de perdition...

C'est mon jardinier analphabète — je ne le nomme pas,
sa femme le pleure encore, — qui m'apprit à suspendre
des nids en bûches de bouleau creusés et percés d'une
entrée ronde, quand il sut ma prédilection pour celle que
Buffon nomme, je crois, " le plus féroce des oiseaux ".
Il ignorait Buffon, mais connaissait bien la mésange, et il
trouva le mot infiniment comique. Il s'appuyait sur le
manche de sa bêche pour contempler quelqu'une de mes

préférées, bleue comme l'Oiseau bleu, verte et jaune
comme la feuille de l'aulne au printemps, qui devant nous
échenillait, scrutait les écorces, se précipitait sous un
tunnel de feuilles mortes, en sortait le bec plein, regagnait
le nid où elle entrait tantôt la tête en bas, tantôt en grimpant verticalement, agile sur ses serres flexibles. Elle nous
jetait de son seuil un avertissement comminatoire, un
victorieux " turrruititittit " qui réclamait sans doute notre
applaudissement à ses prouesses de mésange, son travail
de mésange, ses acrobaties de mésange... Alors, mon
jardinier hochait la tête, riait intérieurement comme au
souvenir d'une bonne histoire marseillaise et disait :

— Ah! ce Buffon... Non, mes amis, ce Buffon!... J'en
rirai toute ma vie!...

Le reportage journalistique et le cinéma s'en mêlant
— sous la forme, pour ce dernier, d'un scénario de film
que m'acheta une compagnie italienne —, j'eus la chance
de passer à Rome quatre mois, de décembre 1916 à
mars 1917. Les restrictions italiennes de la guerre m'ont,
je l'avoue, laissé des souvenirs sans amertume : quinze
grammes de sucre par jour, une noisette de beurre, le
pain mesuré en tranches minces, que sais-je?... Un fumant
hiver moite noyait Rome et je me délectais de tant de
douceur, de tant d'humidité suspendue, d'une température
tantôt de Nice ensoleillée, tantôt un peu suffocante et
vaporisée, comme l'air bleu qui règne à ras de terre autour
des sources thermales.

Une firme cinématographique italienne acquit la licence
d'adapter à l'écran le plus connu de mes romans et engagea
la vamp française en vue, j'ai nommé Musidora. Elle
apporta à Rome sa courageuse humeur, ses beaux yeux,

ses longues jambes parfaites, sa frappante beauté noire
et blanche, prédestinée au cinéma, que les metteurs en
scène d'Italie trouvèrent "troppo italiana". Une "bion-
dinetta" minaudière leur eût plu davantage. Comme
brune fatale, en ce temps-là, Francesca Bertini leur suffisait.

Je remonte là à une époque héroïque du cinéma, où
les vedettes en chair et en os plongeaient, se jetaient à
bas d'une auto rapide, voyageaient sur les essieux d'un
train et montaient des chevaux effrénés.

En Italie, les merveilles architecturales ne manquant
pas, on envoyait une jeune femme de l'extraction la plus
modeste ravauder le linge de sa petite famille sur des
terrasses et des balcons qui avaient vu passer pour le moins
César Borgia. Dans un salon, le nombre des fauteuils,
voire des pianos, marquait le faste, suppléant à la qualité.

Comme je ne parlais pas la langue du pays, je visitais
mal la Ville Éternelle, et plus mal ses musées d'où je
sortais écrasée et timide, rouée de chefs-d'œuvre. Je me
nourrissais à des restaurants assez modestes, et celui de
la Basilica Ulpia eut toujours de quoi me contenter, dès
qu'il eut à me fournir, outre l'assiettée de pâtes, un monceau quotidien de petits artichauts nouveaux, saisis dans
l'huile bouillante et raides comme des roses frites.

Le film tournait doucement. Des automobiles de louage
emmenaient au loin les principaux interprètes. Musidora,
toute en volants romantiques de tulle rose, coiffée d'un
grand chapeau de paille noué de velours noir, courait
sur les prés, je n'ai jamais su pourquoi. Je crois que c'est
parce que le metteur en scène était poète. Il me le prouva
quelques jours plus tard.

Pour la réalisation d'une petite fête d'artistes, entre
peintres et modèles, il voulut l'autorisation de tourner

dans un jardin princier, veuf de ses maîtres et rigoureu-
sement fermé aux visiteurs. J'y entrai avec lui, un jour
d'avril, en dépit d'un gardien hostile tout en vieux buis,
qui tenait la porte mi-ouverte et parlementait. Mais déjà
s'élançait à notre rencontre un paradis impérieux et com-
passé, et tel qu'à lui seul il eût dû tenir notre curiosité
en respect.

Une pareille œuvre, humaine et vernale, un emploi
aussi réfléchi de la saison exubérante, je ne tente pas de
les décrire. Je reçus sur mes paupières la chaleur d'un
soleil mauve, parce que la transparence et l'épaisseur
ensemble d'un rideau de glycines changeaient la couleur
du jour sans mettre obstacle à la vive lumière. Les longues
grappes, innombrables, sur une armature verticale et
cachée, ruisselaient jusqu'au sol. Un autre effet d'onde
et de pluie dépendait des saules pleureurs à grêles chevelures neuves et parallèles. Plus mobiles que les glycines,
ils dévoilaient, revoilaient d'autres architectures végétales,
des pans de ciel intercalaires, des pelouses bleues et violettes, un brasier de cognassiers du Japon, une île de lilas
très pâles délayés sur un ciel comme eux presque incolore,
un nuage de cerisiers doubles parfaits en blancheur, et
des paulownias et des arbres de Judée, irréels dans le
lointain comme tout ce qui est mauve...

En suivant des allées d'un sable farineux qui ne criait
pas sous le pied, je remarquai qu'elles ne portaient aucune
empreinte de pas. Un bâtisseur d'édens avait autrefois
distribué masses et couleurs. Le surprenant était que tout
lui obéît aujourd'hui. Un maître, dès longtemps défunt,
persistait à régir le jardin et ses eaux vives, ici moulées
en serpents dans des plis de pierre au long des sentes, là
suspendues en draperies à contre-jour pour qu'au travers

on entrevît un pan de paysage tremblant, une féerie
secouée de sanglots.

Les parures d'une mode tricentenaire étaient encore
debout. Une canne d'eau, cristal tors, fusait hors de la
bouche d'un satyre. Le charmant séant d'une nymphe
reposait au centre d'une roue d'eau. Un coquillage devenait source, un dauphin palme d'eau bifide...

Peut-être d'autres jardins d'Italie ont-ils autant de
charme mérité, d'allées où seul marche l'oiseau, de fontaines où nulle bouche ne boit. Je n'ai vu que celui-là
et n'ai pu ni l'oublier, ni m'éprendre de lui comme je fais
d'un vallon, d'une ferme heureuse, d'une maisonnette de
garde-barrière bardée de coloquintes, de roses trémières
et de dahlias... Il devait trop à une volonté humaine, sûre
d'elle-même et disposant de la nature sans se tromper.

A mes côtés, le metteur en scène s'exaltait, exprimait
combien un tel lieu semblait à souhait pour les ébats
chorégraphiques. Il courut devant moi, gravit un perron
effrité, sauta à pieds joints sur le flanc d'une déité couchée,
qui, du haut d'une terrasse tiède, longue, vide, regardait
Rome :

— Et là... Là, s'écria-t-il inspiré, le défilé du cake-
walk !

Quand nous avions des oranges... Les nommer, depuis
qu'elles nous manquent, c'est assez pour susciter, sur nos
muqueuses sevrées, la claire salive qui salue le citron
frais coupé, l'oseille crue, la mordante pimprenelle. Mais
notre besoin d'oranges dépasse la convoitise. Nous voudrions en outre *voir* des oranges. Nous pensons à ce reflet,
cette lumière de rampe qui montait des poussettes chargées
aux visages penchés dans la rue. Nous voudrions acheter

un kilo, deux, dix kilos d'oranges. Nous voudrions
soupeser, emporter ces branches coupées, porteuses de
feuillages vernissés et de mandarines, qui jalonnaient les
étals du cours Saleya à Nice, tout le long du marché aux
fleurs. Nous avons une terrible envie de ces paniers ronds
qui parfumaient notre chambre d'hôtel et que nous en-
voyions à nos amis parisiens (la marchande ajoutait,
sous le couvercle, un bouquet de violettes et le brin de
mimosa...). Ces petits souvenirs-là, comme ils sont acides,
irritants... Leur vivacité d'évocation nous fait un peu
lâches. Il y avait aussi ces minuscules mandarines du pays
renflées sur leur équateur et qui, sous l'ongle, répandaient
par leurs pores une huile essentielle abondante... Il y
avait cette excellente friandise italienne qui consiste en
quelques grains de raisin muscat confits dans du vin
liquoreux, ridés au soleil, momifiés et capiteux, roulés
dans des feuilles de vigne. Il y avait ces fruits glacés de
sucre, imprégnés de sucre, qui n'étaient plus que sucre,
transparence vitreuse comme celle des pierres semi-dures,
abricots-topaze, melons-jade, amandes-calcédoines, cerises-
rubis, figues-améthystes... Un jour à Cannes j'ai vu une
barque de sucre coloré, débordante d'une cargaison de
fruits confits. Deux passagers y eussent tenu à l'aise.
Quelle gourmande, quel enfant gâté avait embarqué son
rêve à bord d'un pareil esquif? J'entrai... " C'est vendu,
madame. — Et vendu combien? — Cinq mille francs. "
Cinq mille francs d'avant-guerre, cinq mille francs de
1931...

On me reprochera d'aborder, non sans sadisme, un
sujet pénible?... Je proteste que nous sommes entraînés,
depuis un bout de temps, à regarder en face et fermement
les biens dont la guerre nous prive. C'est d'une bonne

gymnastique mentale. D'ailleurs, tel qui ne bronche pas
devant une plaque de chocolat faiblit à l'idée d'une fraîche
orange parée encore d'une petite feuille à sa queue. J'avoue
que je suis de ces derniers. Une orange... mais pas n'importe quelle orange. L'éducation des Occidentaux est
encore à faire. Les entendiez-vous demander, au restaurant : "Vous me donnerez une orange", comme s'il n'y
avait au monde qu'une espèce, qu'un cru, qu'un arbre,
qu'une multitude indistincte d'oranges...

J'écris ces lignes au mois de février. C'est le moment
où dans les années paisibles nous savourions les tunisiennes,
élite des orangeraies. Ovale, un peu vultueuse autour
du point de suspension, la tunisienne emplit la bouche
d'un suc sans fadeur, d'une acidité adoucie, largement
sucrée. Intacte, son écorce exhale un parfum qui rappelle
celui de la fleur d'oranger. De décembre à février, c'est
la brève saison de nous gorger de tunisiennes. Comme
font les crus très typés qui de bouteille à bouteille mar-
quent une différence, une tunisienne n'est pas tout à fait
identique en saveur à une autre tunisienne, et la nuance
encourage à ouvrir encore une orange, et encore une,
encore une qui sera peut-être la meilleure de toutes...

Après la tunisienne, j'avais la philippeville, qui ne
l'égale pas mais la remplace, mouille bien la bouche, se
sucre agréablement si l'année a été soleilleuse. Puis venait
la palermitane, en même temps que les grandes envies
de boire qu'amènent mars et avril. Le soleil montant de
concert avec le thermomètre, il me fallait plus tard recourir
aux oranges du Brésil et aux espagnoles. Mais l'Espagne
garde pour elle ses meilleurs fruits et nous accusons,
à tort, toutes les oranges d'Espagne de nous laisser une
arrière-saveur d'oignon cru.

Pour finir, la folle consommation d'orangeades ame-
nait à Paris et sur les plages une petite orange qui mûrit
tardivement sur de froids plateaux ibériques. Elle était
la très bienvenue, à l'heure où nous quittaient les cerises,
et les fraises qui passent comme un songe.

Dans le Midi nous achetions à pleins couffins la laide
orange d'été, pour presser sa chair petite et pâle, corser
son jus en le mêlant à celui du citron frais cueilli. Car
si le citron provençal est digne d'humecter le poisson et
le coquillage, l'orange locale n'est guère que l'ornement
des enclos fleuris, la jaune lune des jardins, l'appoint d'une
confiture de ménage. Ne lui faites pas plus loin crédit.
Honorez plutôt la figue seconde, qui des plus belles heures
de l'été fait son miel, s'enfle de rosée nocturne, et verte
ou violette pleure, par son œil, un seul pleur de gomme
délicieuse, pour vous marquer l'instant de sa perfection.
Mangez-la sous l'arbre, et si vous tenez à ma considération,
ne la mettez jamais au frais, ni — horreur et sacrilège! —
dans la glace pilée, tout-aller, pis-aller inventé par les
rudes palais américains, qui paralyse toute saveur, anky-
lose le melon, anesthésie la fraise et change une rouelle
d'ananas en fibre plus textile que comestible.

Tiède le fruit, froide l'eau dans le verre : ainsi l'eau et
le fruit semblent meilleurs. Que penser d'un fruit qui
s'éloigne, comme se refroidit une planète, de la chaleur
qui l'a formé? Un abricot cueilli et mangé au soleil est
sublime. L'heure passée dans une orangeraie marocaine
est aussi vive à ma mémoire et à ma gratitude que si j'avais
encore, sous les ongles, la ligne jaune qu'y laisse un gaspil-
lage d'oranges très mûres. Foncées, assez petites, une joue
parfois frottée de rouge vif, à dix heures du matin en avril
elles étaient déjà tièdes, quand la longue herbe printanière,

à nos pieds, nous rafraîchissait encore les chevilles. Un de
nous s'arrêtait-il comme par discrétion, le serviteur marocain étendait son bras vers l'horizon et riait, pour nous
faire comprendre que plus loin, et jusqu'à perte de vue,
d'autres tangérines nous attendaient, innombrables...

Marrakech nous donna davantage encore. Des eaux
pures, des roses, des rossignols qui à un certain signe
nocturne éclataient tous à la fois, des aurores précipitées
qui envahissaient le ciel comme un incendie — et des
oranges dans les orangers du pacha Si Hadj Thami el
Glaoui. Opulentes orangeraies d'un maître tout ensemble
avisé et fastueux, secret alignement de ce qui paraît, au
premier abord, désordonné et provocateur, quels soins
produisaient, protégeaient de telles récoltes! Leur parfum,
tombant de haut, traînait à ras de terre et nous barrait
presque le passage. Des pétales de cire ne cessaient de
pleuvoir, entraînant dans leur chute les abeilles ivres;
elles touchaient avec eux le sol, se relevaient poudreuses
et regagnaient les fleurs suspendues parmi les fruits. A
son tour une orange tombait, longue, lourde orange en
forme d'œuf, qui s'ouvrait en touchant le sol et saignait
de sa chute un sang rosé... Non loin, les murs roses de
la ville, sur un ciel que pâlissait déjà la chaleur, limitaient
ce paradis — paradis d'ailleurs bien gardé; si je tendais
la main vers ses pommes d'or, le bras de l'ange marocain,
noueux et noir, perçait les feuillages, brandissant un
bâton... Mais sur un mot de notre guide, le bras de bronze,
un moment résorbé, reparaissait, offrant sur sa paume
sombre une juteuse orange.

Une ville chaude greffe en nous des souvenirs d'autrefois plus chers que l'eau en abondance l'enrichit, y mire
le ciel, tient verts les arbres, gonfle les fruits, joue avec

les sables. L'Aguedal à Marrakech est un vaste et frémis-
sant miroir margé de verdure; aucun des reflets que j'y
ai vus trembler ne se fane. Comme un clou d'argent,
mainte autre fontaine fixe l'aspect d'un des jardins que
j'aimai. Combien d'années m'arrêtai-je, une fois par an,
à Aix-en-Provence, sur le trajet de Paris à Saint-Tropez,
parce qu'une eau millénaire coule dru d'une fontaine?
Je tendais à l'eau antique mon gobelet, imitant les fervents
de la source, la vieille dame et sa carafe, le garçon et son
broc, la petite fille brune et sa cruche ombiliquée. L'eau
d'Aix, fraîche et douce, se laisse boire en abondance.
La fontaine romaine est un chaînon de mes convoitises :
chaque fois que j'ai vu l'eau sur un étroit espace sourdre,
bouillonner et bondir, j'ai voulu l'emporter et la planter
dans mon jardin, s'agît-il de la vieille fontaine de Salon,
mammouth barbu d'herbe dont chaque poil canalise sa
goutte d'eau. Un jardin sans source ne murmure pas assez,
et mes regrets ne se détachent pas encore des eaux vives
de mon enfance, surgies à petit flot de ma terre natale,
perdues sitôt que nées, connues du pâtre, des chemineaux,
des chiens chasseurs, du renard et de l'oiseau. Une était
dans un bois, et l'automne la couvrait de feuilles mortes;
une dans un pré, sous l'herbe, et si parfaitement ronde
qu'une couronne de narcisses blancs, aussi ronde qu'elle-
même, décelait seule sa place au printemps. Une coulait
en musique d'une berge de route; une était un joyau un
peu bleu, tremblant dans une cuve de pierres grossièrement
assemblées, et des crevettes d'eau douce nageaient dans
son ciel renversé. On m'assure que celle-ci est toujours
aussi pure, mais qu'elle sautèle, avec un vain effort de
cristal, entre quatre parois de ciment, cadeau de la pré-
voyance humaine, et je n'ai de goût que pour les sources

sauvages, gardées par l'œil ouvert des myosotis et des cardamines, par la grande salamandre tachée comme un cheval pie.

Je voulais une source dans mon jardin — je la veux encore, bien que je n'aie plus de jardin, et celui du Palais-Royal n'a pas d'eau, depuis le commencement de la guerre. Jean Giono m'en a promis une, tout dernièrement. Et comme j'ai reçu sa promesse autour d'une table qui fêtait, bien servie, mon soixante-dixième anniversaire, une légère griserie a tracé l'image d'une source qui scintillait, pailletée, au fond de mon verre, et d'un Jean Giono, aussi blond que le vin, verseur de sources que je pusse partout emporter avec moi. "La plus jolie de mes sources, je vous la donne", dit-il généreusement. Nous verrons bien. Pourquoi renoncerais-je à ce que je souhaitai toujours? La source de Jean Giono est peut-être, de toutes, la plus réelle. Si ces lignes atteignent l'homme qui épanouit ses domaines sur des flancs de montagnes, des moutons et des cascades, il saura qu'en esprit je possède ce qu'il m'a donné. Sa source a rejoint mes trésors divers. Certains sont tangibles, comme les presse-papiers en verre dans le sein desquels se tord une frénésie figée de berlingots, de fleurs et de bactéries; comme les grains d'avoine qui ont des barbes de crevettes et qui tâtonnant l'air prédisent, tournées de-ci, tournées de-là, le beau ou le mauvais temps; — comme un joyau de verre poli par la mer, dont la couleur égale l'aigue-marine. "Vous savez ce que c'est? m'a dit un méchant ami. C'est le tesson, longuement vanné par la vague, d'un cul de bouteille à soda-water." Il ne faut jamais montrer aux sceptiques les trésors rejetés par la mer.

Mais je n'ai pas que des biens mobiliers. Je possède en

propre à peu près tout ce que j'ai perdu — et même mes
morts très chers. En quoi je ressemble à un petit cheval
truité que je conduisais, un été d'autrefois. Il rencontra,
sur une route de Picardie, une herse qui se reposait pendant la sieste du cultivateur. Le petit cheval truité, qui
était parisien, perdit si totalement son sang-froid, tournant sur place, reculant, serrant sa tête entre ses jambes
de devant, ployant le rein comme une sirène, que rien ne
put le convaincre ni le rassurer et nous ne rentrâmes que
moyennant un long détour. Et puis nous oubliâmes la
herse, lui et moi, jusqu'au jour où, sur la même route
et au même endroit, le petit cheval truité devint soudain
de marbre — un peu plus, je passais par-dessus le bordage
du tonneau.

— Qu'est-ce qu'il y a? lui demandai-je.
— Là... dit le petit cheval tremblant. Là!...
— Quoi, là? Une couleuvre?
— Non... Le monstre... Le même...

Sur la route vide, il voyait si bien le fantôme de la
herse, qu'en un moment il se mouilla de sueur. Ses naseaux
musculeux claquaient et il ne pouvait détacher de la herse
absente le regard de ses grands yeux d'un bleu d'encre
où la herse avait gravé son image d'épouvantail triangu-
laire.

Frayeur à part, j'ai été souvent ce petit cheval vision-
naire. La vie a bien du mal à me déposséder. Je n'aurai
jamais fini de recenser ce que le hasard, une fois, a fait
mien. J'en suis encore, quand le plus ancien de mes amis,
Léon Barthou, a préféré le repos inintelligible des morts
à la tranquille compagnie de ses livres, de ses meubles
aimés, de sa chatte, j'en suis encore à contempler, par-
delà sa brune figure béarnaise, l'horizon céleste, la petite

terre plate qu'on découvre du haut d'un ballon libre, et j'inventorie les instruments jetés comme pêle-mêle dans ce gros panier de pique-nique qu'est une nacelle d'aérostat...

— Comment appelles-tu, Léon, ce machin qui pendait à ta portée, sous ton sphérique, ce truc qui avait l'air d'un gros ver de terre, et que tu pinçais de temps à autre?

Je questionne toujours, rien n'est changé, sauf qu'il ne me répond plus. Je survole encore avec lui Versailles à une faible hauteur, les mosaïques du parc et ses miroirs; une saute de vent nous ramène sur Paris, et l'ombre des mailles du filet tourne sous le ventre du sphérique... Que de jardins enfermés dans la Ville... Le bruit de perles du lest jeté dans la Seine monte jusqu'à nous, et notre bond soudain et insensible nous dérobe les jardins prisonniers qui contiennent, tous, un peu de sombre verdure, un disque qui est une table, un autre disque plus petit qui est un chapeau d'enfant...

— Dans quelle rue m'as-tu montré, Léon, ce jardin si soigné, si fleuri, qui de là-haut ressemblait à un coussin en tapisserie?

Il ne répondra plus. D'ailleurs tant de rues, tant de quartiers, tant de jardins sont abolis, ou méconnaissables... Je change de spectacle-souvenirs, j'herborise au hasard. Ce n'est pas toujours en vain. A force de me pencher sur une image de ma mémoire, il m'arrive de reconstituer une fleur qui m'intriguait autrefois. Ainsi nous rappelons de l'abîme le mot en voie de s'engloutir et que nous saisissons par une syllabe, par son initiale, que nous hissons vers la lumière, tout mouillé d'obscurité mortelle... J'ai cherché ce calice tubulaire, sa corolle dentelée, sa couleur de cerise, son nom... Je le tiens. Je ne le lâcherai plus, sauf pour tout de bon, sur ma fin. Il s'appelle bizarrement

pentstémon. Revenu à moi et comme apprivoisé, le pentstémon joue sa partie très agréablement dans une orches-
tration violette, rouge et mauve que réussit au mieux
le jardinier de la Ville : des glaïeuls rouges et roses, des
dahlias roses et rouges, les dernières roses, les althæs
roses et violacés, des géraniums de feu, le laineux agératum
qui hésite entre le bleu et le lilas, et le pentstémon : en voilà
pour jusqu'à novembre, si l'automne est doux.

Combien de jardins prisonniers dans Paris m'ont livré
leurs secrets? Je ne volerais pas une fleur, j'ai rarement
dérobé un fruit; mais j'ai pour les jardins clos un amour
indiscret. Il n'y a pas longtemps que des démolisseurs
m'expulsèrent d'un profond immeuble dont une façade
s'ouvrait faubourg Saint-Honoré. Passé la seconde cour,
par la brèche d'un mur j'avais aperçu un vieux jardin,
trois marches de perron, un peu d'herbe et des troènes
dont les fleurs maigres s'étiraient vers la lumière.

Quelle surprise comparerai-je à la découverte que je
fis, dans le XVIᵉ arrondissement, d'un péristyle directoire,
à l'entour duquel couraient des pommiers en cordons?
Portaient-ils des fruits? C'était déjà inespéré qu'ils dépo-
sassent, comme une aile perdue, un pétale sur le pavé de
Paris... Au bout de la rue Jean-Bologne, à gauche, je
possédai, à force de les visiter, une façade de maison pro-
vinciale, orientée au sud, un reste de terrasse dallée et des
planches de légumes... Rue des Perchamps, trois mille
mètres de jardin inculte, de noisetiers, d'églantiers, de
tilleuls, furent longtemps mon lot, grâce à leur propriétaire avec qui je nouai une amitié de quelques années.
Les jours pairs, elle voulait vendre ses terrains. Les jours
impairs elle se reprenait, disait d'un air fin : " Vendre
mes terrains d'Auteuil? Pas si bête! " Cela dura des années.

Un jour pair, elle signa un sous-seing privé et je perdis le parc où j'allais cueillir des avelines à peau rouge et des roses dégénérées.

Jacques-Émile Blanche me prêtait volontiers le sien sans que j'en fisse usage, parce que je craignais de l'abîmer. C'est maintenant que je m'y promène en pensée, depuis que ses maîtres n'existent plus, ni le caniche café au lait qui, sensible, épris de distinction, se couvrait le front de cendres, voulait mourir, entrer dans les ordres, si J.-E. Blanche lui disait à mi-voix, sur le ton du blâme : " Dieu, Puck, que tu as l'air commun... "

Le jardin de J.-E. Blanche, tourné vers le nord comme l'atelier du peintre, possédait quelques-uns de ces beaux arbres disséminés sur Passy et Auteuil, dont on s'accordait à dire qu'ils avaient connu la princesse de Lamballe. Dans leur ombre serpentait, pour mon admiration, une rivière figurée en myosotis particulièrement bleus, touffus, égaux, qu'enserraient deux rives de silènes roses. Le ruisseau bleu guidait les visiteurs vers l'atelier où je posai pour trois portraits successifs. Jacques-Émile Blanche détruisit les deux premiers; le troisième est au musée de Barcelone.

Pendant les séances de pose, la froide lumière d'une grande verrière et l'immobilité m'accablaient de sommeil, et pour me tenir éveillée je regardais au-dessus de ma tête deux toiles également ambiguës : la délicieuse petite Manfred en travesti de Chérubin, et Marcel Proust âgé d'environ dix-huit ans, la bouche étroite, les yeux très grands, paré d'une absence d'expression tout orientale. Il est sans exemple que J.-E. Blanche ait peint autrement que J.-E. Blanche. Seul le portrait de Marcel Proust diffère du reste de son œuvre, par un faire extraordinairement lisse, une affection de symétrie, l'exaltation d'une beauté qui fut réelle et dura peu. La maladie, le travail et le talent repétrirent ce visage sans pli, ces douces joues pâles et persanes, bouleversèrent les cheveux qui étaient non point soyeux et fins, mais gros, d'une vitalité à faire peur, drus comme la barbe noire et bleue qui, à peine rasée, perçait la peau... Ceux qui ont passé des soirées avec Marcel Proust se souviennent qu'ils voyaient sa barbe noircir entre dix heures du soir et trois heures du matin, cependant que changeait, sous l'influence de la fatigue et de l'alcool, le caractère même de sa physionomie.

Je me rappelle un dîner au Ritz, commencé fort tard, prolongé en souper et en causerie. Marcel Proust était encore à cette époque, dans ses meilleurs jours, un homme presque jeune et charmant, tout empreint d'une prévenance excessive, d'une obligeance suppliante, peinte dans son regard. Mais vers quatre heures du matin j'avais devant moi une sorte de garçon d'honneur pris d'alcool, la cravate blanche désordonnée, le menton et les joues charbonnés de poil renaissant, un gros pinceau de cheveux noirs éployé en éventail entre les sourcils... "Oh! ce n'est pas lui... ", murmura une invitée. Tout au contraire j'attendais que parût, ravagé mais puissant, le pécheur qui de son poids de génie faisait chanceler le frêle jeune homme en frac...

Ce moment ne vint pas. La nuit se faisait aurore et ne pâlissait qu'à la faveur du plus séduisant bavardage. Personne ne se garde mieux qu'un être qui semble s'abandonner à tous. Derrière sa première ligne de défense entamée par l'eau-de-vie, Marcel Proust, gagnant des postes plus obscurs et plus difficiles à forcer, nous épiait.

Quand Francis Jammes, dans une préface qui fit beau-

coup d'honneur au premier volume que je signai, m'attri-
bua comme livre de chevet *La Maison rustique des Dames*,
il anticipait. Je m'occupais alors de cultures diverses,
mais sans le guide autorisé que nomme le poète et conduite
seulement par l'esprit fantaisiste et borné de la jeunesse.
C'est à présent que Francis Jammes est le plus près de la
vérité. Auprès de ma *Grande Pomologie*, des *Trochilidés* de
Lesson, des *Roses* signées Redouté, de *l'Herbier de l'amateur* par Lemaire, de volumes botaniques éclatants et dépa-
reillés, Mme Millet-Robinet et sa douce science du ménage,
de la greffe, de la cuisine et de l'élevage sont à portée de
ma main.

J'en reste, sans rougir, aux progrès agricoles et ména-
gers du siècle dernier. Aux applications de l'électricité
et de la mécanique près, j'en ferais mes dimanches, si
j'étais encore propriétaire de quelques arpents à la campagne. Il se trouve qu'après diverses péripéties, mon avoir
tient de nouveau dans un tiroir et sur des rayons de biblio-
thèque. D'élever des lapins en cave, des poules au grenier,
une génisse dans les souterrains du Palais-Royal, il n'est
pas question. Dût ma réputation s'en trouver ruinée, je
n'ai jamais nourri une seule bête que je dusse manger,
fût-ce un de ces pigeons qui mentent à leur renommée,
car l'oiseau de Vénus est à la vérité dur, batailleur, avec
un cruel œil d'or rouge, et quant à la légendaire fidélité
de la pigeonne, il vaut mieux que mon lecteur garde là-
dessus ses illusions.

J'ai vu ma mère appeler, dans notre basse-cour, des
poules, et les poules piquer le pain et le grain dans ses
mains; et les œufs rosés et tièdes passer du nid à la table
et les poussins grimper sur nos genoux. Un cri d'angoisse
marque dans ma mémoire la fin du poulailler. "Mon

Dieu, tuer la petite poule rousse! " gémit ma mère. Après
quoi la basse-cour se dépeuple, les chats couchent dans
les pondoirs en osier tressé, nous ne mangeons plus que
des poulets inconnus, et les deux bâtiments pour la volaille
deviennent des resserres où sommeillent, l'hiver, les bulbes
de dahlias, les oignons de jacinthes et de tulipes, et les
crocus... Cependant Sido ma mère se désole de ne pouvoir être végétarienne. " Je ne mange pas de lentilles
parce qu'elles ressemblent à des punaises, disait-elle. Je
ne mange pas de crosnes parce qu'ils ont une vague figure
de ver de hanneton, je n'aime pas les fèves parce qu'elles
ont le goût du marécage. Les petits pois? Si je ne les
cueille pas moi-même, on attend qu'ils aient passé à l'état
de chevrotines. Le chou déshonore la maison pendant
qu'il cuit... Il reste le beurre, les œufs et les fruits. A ce
propos Mme Millet-Robinet dit... "

Je n'écoutais pas l'évangile selon Mme Millet-Robinet.
Mais depuis je lui ai fait amende honorable, quand ce
ne serait que pour y apprendre, y rapprendre des noms
oubliés et le code d'une vie rurale pure, nouvelle à force
d'être délaissée, et toute jeune tant nous avons, à nous
séparer d'elle, pris de l'âge.

Ce n'est pas seulement la bonhomie d'une ancienne
existence que nous avons perdue. Sa diversité, qui nous
manque, elle la tenait de maints objets et de leur usage.
Ni ceux-là ni celui-ci ne se réclamaient de ce que nous
avons appris à nommer la sélection, mal qui nous vint
de l'Amérique avec ses deux pommes, la rouge et la blanche,
la rouge et son vigoureux cramoisi, son insipidité saine
de légume cru — la blanche et son eau douce-acide, un
peu plus personnelle. Aussitôt le pomologiste de vouloir
" sélectionner " ici, et de discuter calibre, transport et

conservation. Calville, rainettes du Canada, rainettes et
Calville : nous n'en sortîmes plus, si l'on n'excepte quelques
wagons de pommes à cuire. Quand nous reverrons les
poires, Paris va-t-il se résigner, de nouveau, à la duchesse
et à la passe-crassanne, avec un bref intermède de beurré-
Hardy et quelques doyennés-des-comices pour les fortunés
de ce monde? Le XIXᵉ siècle profitait mieux de nos richesses.
Charmante fin du XIXᵉ siècle, quelle grâce tu mis à savourer, gaspiller, comparer... J'ai retrouvé ta trace, ton goût
châtelain de la campagne, ta vivacité à sortir de l'anony-
mat, ta signature enfin, tout au travers d'un domaine
modeste, qui fut mien cinq ou six années après avoir
appartenu longtemps à un vieux monsieur. Les dix hectares,
négligés depuis sa mort, témoignaient encore d'une coquetterie de propriétaire, d'un savoir-planter bien propres à
me plaire. Si je me laisse aller à les évoquer, je vais tomber
dans le gémissement et mener le deuil de douze cents
arbres fruitiers, âgés déjà quand je les eus, variés par un
choix capricieux non moins que par la judicieuse connaissance. Dressez-vous, ombres de mes poiriers! Qui connaît,
qui chante, qui plante la poire de Messire-Jean? Qui sait
qu'en robe d'un gris roux, sous une forme voisine de la
sphère, elle cache une chair cassante et mouillée, une
saveur relevée par la plaisante âpreté typique? Mme Millet-
Robinet place au rang qu'elles méritent les Messire-Jean
couleur de muraille, et moi aussi, mais qui leur rendra la
faveur des foules?

Au fin bout des branches dénudées, le vent rude de la
Franche-Comté berçait mes poires grises à queues minces.
Sous les Messire-Jean de plein vent, peu feuillus et écail-
leux, mûrissaient dès juillet d'autres poires précoces, tournant vite au farineux si l'on ne les récoltait à temps, et

que les guêpes vidaient astucieusement. Elles les perçaient
d'un seul petit trou, puis besognaient à l'intérieur et la
poire gardait sa forme. Combien de fois ai-je écrasé dans
ma main la jaune montgolfière gonflée de guêpes? La
cuisse-madame, je vois encore sa forme aussi suave que
son nom, et je n'oublie pas les pommes choisies parmi
les espèces que Mme Millet-Robinet nomme "dociles au
cordon"... Avec le doux-d'argent, le court-pendu, la
belle-fleur, j'étais munie de pommes pour toutes les saisons
comme de prunes, quoique les arbres de reines-claudes,
les "monsieur jaune" et les "damas violet" fussent
affaiblis et pleurassent la gomme. Filles innombrables de
la Comté, une joue criblée de son, l'autre verte comme
l'ambre, les mirabelles amies du Doubs pleuvaient sur les
oreilles des chattes, et le chien gobait les meilleures.

   Il y avait de si rouges, de si royales récoltes de cerises
en juillet, qu'elles séchaient sur l'herbe, ridées et comes-
tibles. "Les merles n'en veulent même pas!", assurait
mon voisin. "Nous en faisons un petit kirsch de ménage..."
C'était dit sur le ton d'autrefois, un ton de béatitude un
peu dédaigneuse qui raillait l'abondance et la facilité. Que
de richesses en nos mains si aisément emplies... Que de
biens gratuits, constants à nous dédommager des années
pauvres... Les alisiers et les cormiers dans les bois, les
courgelliers penchés sur le mur des basses-cours pour que
les poules picorassent les courgelles — ou cornouilles —
qui tachent la terre d'écarlate; les cognassiers ravalés
au rôle de haies vives, côte à côte avec la prune à cochons,
la pomme de croc, la groseille sauvage épineuse, les mûres,
la petite pêche cotonneuse — tous fruits et baies sans
possesseurs, tombés de la main de Dieu dans celle du
passant... Ramassés, ils s'en allaient pêle-mêle dans le

tonneau où l'eau-de-vie de marc élaborait sa force sournoise et sa saveur noyautée.

Je ne prétendis pas, sur les dix hectares commis à ma garde, régénérer les arbres fruitiers en leur ôtant la tête et en les greffant audacieusement, bien que l'art de greffer grise de son mystère l'amateur de jardins. Le greffon taillé en biseau, reposé, attendri dans une obscurité humide, puis glissé dans la fente du sujet sauvage ou trop vieux, puis pansé au mastic, son moignon ligoté de linge et de raphia, puis adopté par l'arbre qu'il régénère — je peux assurer à ceux qui l'ignorent qu'un grand battement orgueilleux du cœur salue le moment où le dormant bourgeon du greffon, qui sommeillait sur la tige étrangère, s'éveille, verdit, affirme son paradoxe, impose à l'églantier sa rose, au prunier sa pêche ou son brugnon.

L'homme qui venait greffer gardait toujours sur lui son couteau à greffe, qui comportait une douce et courte petite lame d'ivoire en forme d'amande, accoutumée à décoller les écorces sans blesser les aubiers, à ménager les " yeux ". Pour les greffes particulièrement délicates, il suçait cette lame fréquemment, accordait à la salive humaine un pouvoir roboratif, et disait : " Ce n'est pas le tout que d'avoir une bonne main, quand on greffe, il faut penser... " Tant est que la prière, sous ses formes conjuratoires, se glisse partout...

Le bouturage est moins émouvant que le greffage et ne comporte pas de magie. N'empêche que je ne me blasai jamais, dans mes jardins, sur le moment où la bouture qui a perdu connaissance et semble succomber à son sectionnement brutal, décide de vivre, rouvre ses verts canaux à l'ascension de la sève, et se redresse par imperceptibles saccades...

J'ai planté, entre un lever et un coucher de soleil, en
Provence, sept cents boutures de géranium-lierre roses.
Je n'y étais aidée que par ma jardinière. C'est une besogne
qu'on peut accomplir assise, bien installée en pleine terre
meuble et le plantoir dans la dextre, en progressant à la
manière des culs-de-jatte. Le résultat était beau, l'an après.
Mais il y a moins de plaisir à foncer une vaste tapisserie
uniforme qu'à varier une broderie multicolore. Si je donne
plus de souvenir aux caïeux, aux bulbes, aux griffes et
aux marcottes de la Comté, c'est que je fus témoin de
leurs efforts et de leur bonne volonté, car j'affrontai,
sur ce coteau comtois, aussi bien Pâques venteuses que
novembre au tranchant de glace. Parlez-moi, pour vous
attacher à une région, non pas tant de la belle saison que
de la mauvaise! Un dicton paysan dit : " Il n'y a pas de
guérison pour un mal que les quatre saisons n'y aient
passé. " Peut-être m'a-t-il manqué, pour me nouer solidement au beau Midi français, ses troubles demi-saisons,
l'automne, ses fouets de pluie qui ravinent les coteaux
et emmènent en bas la terre arable, son printemps précoce
qui soudain change d'humeur, gèle les maisons aux murs
minces, rabat les fumées, charrie dans ses bourrasques
des pétales d'amandiers, des grêlons et des boules de
mimosas.

Un dur climat sans surprise veilla sur mon lopin comtois.
Acquise à son bon accueil comme à sa sévérité, je ne
défigurai pas les poiriers-quenouilles, je n'élaguai que
tout juste les essences centenaires — il y avait d'étonnants
acacias creux comme des cheminées, d'où pleuvait par
temps sec une mouture de bois consumé, pareille au marc
de café, — les mélodieux mélèzes, les noirs sapins, les
tilleuls argentés que l'été environnait de parfum et

d'abeilles. L'araucaria continua à gesticuler de tous ses bras de singe. Pourquoi eussé-je lésé, moi passante, un décor un peu trop accidenté, trop taquiné, mais bien établi dans son dessin de voies, bosquets, arches de rocs et points de vue? Un homme qui tourmente ingénieusement, patiemment sa parcelle, en même temps qu'il y applique un esprit de producteur large et laborieux, lui constitue ce que nous appelons plus tard un style. Le style, c'est presque toujours le mauvais goût de nos devanciers, à dater du jour où il nous devient agréable. D'ailleurs, à moins de l'anéantir, le style d'un paysage restreint ne se laisse pas bousculer comme un simple ameublement de villa. Que dis-je? C'est l'enclos, c'est le paysage aménagé par le vieux monsieur né avant 1830 qui prit le pas dans la maison et j'y pénétrai, si j'ose dire, sur ses talons. Il apportait une table ovale à allonges en poirier noir, sur laquelle je mangeai, j'écrivis, autour de laquelle vinrent se grouper des meubles qui n'étaient ni anciens ni rares; mais je fus contente d'eux. Je n'ai rien trouvé de plus à en dire, sinon que l'exceptionnel — la trouvaille, comme on dit — fait souvent gros bruit et remue-ménage dans un paisible intérieur qu'elle effare. Non, je ne décrirai pas plus avant ce qui fut tranquille, un peu terne, un peu lourd, bon pour le coin de la cheminée en hiver, et l'été au bord d'un joli perron ventru.

Comprenez seulement que menée les yeux bandés dans la maison, une personne de ma sorte eût dû prédire qu'autour de la demeure s'arrondissait un jardin tel que la première place — à tout seigneur tout honneur — y revînt à l'arbre à perruque, ce miracle bourgeois, toile d'araignée pour la rosée nocturne, piège à joyaux de pluie et d'arc-en-ciel, — l'arbre pomponné de nuages vaguement roses, le *rhus cotinus* enfin, vous savez bien? Non, vous ne savez plus.

Rhus cotinus, perruque d'ange, votre présence inéluc-table nous garantissait celle du groseillier d'ornement à grappes jaunes, et du cassissier stérile à fleurs roses. Lors-que, dans un jardin d'amateur, *rhus cotinus* et groseilliers infructueux prenaient le premier rang, qui eût évincé, derrière eux, le baguenaudier tout tintinnabulant de cosses vésiculeuses, et l'althaea violacé? Quel novateur se fût mêlé de barrer le passage à la fritillaire, dite couronne impériale, à ses lourds capitules orangés, à son odeur de mauvaise compagnie? Elle-même tirait à soi un peuple de pyrèthres roses et blancs, des corylopsis et des coquerets veinés comme des poumons, et une abondance de fleurs pour bordures, blanches, odorantes faiblement, qui, selon les déformations régionales, se nommaient thlaspi ou théraspic. Les thlaspis-bordures se trouvaient-ils défaill-lants, on les remplaçait par une plante qui ressemblait trait pour trait à l'oreille pelucheuse d'un âne blanc. Car il fallait au bord d'une plate-bande, et tout autour d'un " massif ", une bordure, une margelle, et au bord de la bordure une autre bordure de petites tuiles arrondies, et quelquefois la tuile en forme d'écaille se faisait protéger par une surbordure d'arceaux de fer.

Tout cela me revient à mesure que j'écris, tout cela qui fleurissait autrefois, ces rondeurs, ces mollesses de dessin, ces afféteries et ces routines d'une horticulture d'époque, — tout cela qu'a banni une autre tradition étreinte par le ciment et les dalles rejointoyées d'herbe, les cyprès de bronze, les atriums, les pergolas et les patios... Cependant un sans-façon légèrement irlandais sème sous bois les daffodils, les saffran-crocus et les snowflakes,

accrédite au jardin les labiées sauvages et le bouillon-
blanc...

Qu'eût dit, d'une incurie bien imitée, Mme Millet-
Robinet? Elle l'a prévue, puisque, du haut de sa *Maison
rustique*, du seuil de sa décente floriculture, elle parle :
" Tout doit, sur une terre bien cultivée, porter le cachet
de l'ordre. Toutes les corbeilles doivent être bombées. "
Sido disait plus simplement : " Je n'aime les mauvaises
herbes que sur ma tombe. " En matière de jardinage,
mes deux oracles s'accordent donc à bannir la facilité,
et je n'aurais qu'à les suivre, Mme Millet-Robinet par
déférence, Sido par amour, si...

... Si j'avais un jardin. Or, il se trouve que je n'ai plus
de jardin. Ce n'est pas terrible de n'avoir plus de jardin.
Ce qui serait grave, c'est que le jardin futur, dont la réalité
n'importe guère, fût hors de mon atteinte. Il ne l'est pas.
Un certain craquètement de graines sèches dans leur
sachet de papier suffit à m'ensemencer l'air. La graine des
nigelles est noire, brillante comme un cent de puces, et
garde un long temps, si on l'échauffe, un parfum d'abricots, qu'elle ne transmet pas à sa fleur. Je sèmerai les
nigelles quand dans le jardin-de-demain auront pris, auront
pris place le songe, le projet et le souvenir, sous la forme
de ce que j'ai possédé et de ce que j'escompte. Certes,
les hépatiques y seront bleues, car je me sens excédée de
celles qui sont d'un rose vineux. Bleues, et assez nombreuses pour border la corbeille ("toutes les corbeilles
doivent être bombées... ") qui exhausse les diélytras en
pendeloques, les weigelias et les deutzias doubles. Je
n'aurai de pensées que celles qui ressemblent — large
face, barbe et moustaches — à Henri VIII; de saxifrages
que si, par un beau soir d'été, quand je leur offrirai poli-

ment une allumette enflammée, ils me répondent par leur inoffensive explosion de gaz...

Une tonnelle? Naturellement, j'aurai une tonnelle. Je n'en suis pas à une tonnelle près. Il faut bien un perchoir de treillage pour la cobée violette à langues de dragon, pour le polygonum, et pour le melon-à-rames... A rames? Pourquoi pas la courgette-à-moteur? Parce que le melon que je dis se hisse, se rame sur tous tuteurs comme un simple pois, jalonne sa course grimpante de petits melons verts et blancs, sucrés et pleins de saveur. (Voyez les textes de Mme Millet-Robinet.)

Que si les amateurs de nouveautés horticoles bannissent toutes les vieilles amarantes queue-de-cheval, j'en recueillerai bien quelques-unes, quand ce ne serait que pour leur donner leur nom ancien : disciplines-de-religieuses. Elles feront bon ménage avec un autre plumeau, celui-ci argenté, le gynérium, brave type un peu bête qui passe l'hiver à droite et à gauche de la cheminée, dans des vases en forme de cornet.

L'été, nous ferons fi du gynérium, et nous planterons dans les vases les suffocants lis blancs, plus impérieux que la fleur d'oranger, plus passionnés que la tubéreuse, les lis qui montent l'escalier à minuit et viennent nous chercher au plus profond de notre sommeil.

Si c'est un jardin de Bretagne — que j'aime mon idéal parterre empanaché de " si " aigus! — le daphné... Faut-il la nommer daphné, ou bois-gentil, cette fleur petite, dissimulée, immense par sa noble et fraîche senteur, qui perce et embaume l'hiver breton, dès janvier? Un buisson de bois-gentil, sous l'averse qui vient d'ouest avec la marée, semble arrosé de parfums. Si, près d'un lac, je me plante, j'aurai, outre le faix d'arbrisseaux que traînait

le Vieux Monsieur défunt, j'aurai des chimonanthes
l'hiver, au lieu de daphnés. Le chimonanthe, fleur de
décembre, a autant de couleur et d'éclat qu'un petit copeau
de liège. Son mérite est unique, et le révèle. En un lieu
limousin, où j'ignorais sa présence, par temps de neige
je l'ai guetté, cherché, trouvé dans un air glacé où me
guidait sa fragrance. Grisâtre, terne sur sa branche, mais
doué d'un grand moyen de séduire, — quand je pense
au chimonanthe, je pense au rossignol. J'aurai donc le
chimonanthe... Ne l'ai-je pas déjà?

J'aurai bien d'autres verveines en rosaces, aristoloches
en pipes, gazon d'Espagne en houppes, croix-de-Jéru-
salem en croix, lupins en épis et belles-de-nuit insom-
nieuses, agrostides en nébuleuses et mignardises en vanille.
Un bâton-de-Saint-Jacques pour aider mes derniers pas
de voyageuse; l'aster pour étoiler mes nuits. Une campa-
nule, mille campanules, pour tinter à l'aube en même
temps que le coq chantera; un dahlia godronné comme
une fraise de Clouet, une digitale pour ganter le renard,
— c'est du moins à quoi prétend son nom populaire, —
une julienne et non pas, comme vous pourriez penser,
coupée en petits dés dans le potage, mais en bordure!
La bordure, vous dis-je, la bordure! En bordure aussi
les lobélias, dont le bleu n'a de rival ni dans le ciel ni
dans la mer. En fait de chèvrefeuille, je choisis le plus
frêle, qui pâlit d'être trop odoriférant. Il me faut enfin
un magnolia de grande ponte, tout couvert de ses œufs
blancs quand Pâques approche; une glycine qui, à force
d'abandonner ses longues fleurs goutte à goutte, fait de
la terrasse un lac mauve. Et des sabots-de-Vénus, de quoi
chausser toute la maison. Ne m'offrez pas de lauriers-roses,
je ne veux que des lauriers et des roses.

Mon choix ne fait pas qu'assemblées les fleurs que je nomme flattent l'œil. Et d'ailleurs j'en oublie. Mais rien ne presse. Je les mets en jauge, les unes dans ma mémoire, les autres dans mon imagination. Elles trouvent encore là, grâce à Dieu, l'humus, l'eau un peu amère, la chaleur et la gratitude qui peut-être les garderont de mourir.

TABLE

BRODARD ET TAUPIN — IMPRIMEUR - RELIEUR
Paris-Coulommiers. — France.
05.335-VII-7-4485 - Dépôt légal n° 1833, 3ᵉ trimestre 1961
LE LIVRE DE POCHE - 4, rue de Galliéra, Paris.

LE LIVRE DE POCHE

publie chaque mois les chefs-d'œuvre français et étrangers de la littérature contemporaine, dans leur texte intégral.

Le succès sans précédent du LIVRE DE POCHE témoigne à lui seul de ses qualités.

LA SÉRIE ROMANESQUE qui compte déjà plus de 500 titres de premier plan est complétée par cinq autres séries :

LA SÉRIE CLASSIQUE qui a pour but de publier en version intégrale les chefs-d'œuvre du passé présentés par les écrivains modernes.

LA SÉRIE ENCYCLOPÉDIQUE dont les ouvrages apportent aux lecteurs une somme de connaissances pratiques dans les domaines les plus divers.

LA SÉRIE EXPLORATION qui groupe des récits d'aventures vécues et de voyages, permettant de mieux connaître les aspects insoupçonnés de notre planète.

LA SÉRIE HISTORIQUE dont les textes, pour être appuyés sur la documentation la plus solide, n'en restent pas moins aussi passionnants à lire que des romans.

LA SÉRIE POLICIÈRE publie uniquement les chefs-d'œuvre de la littérature policière. Grâce à une sélection rigoureuse, le lecteur est assuré de ne trouver dans cette série que les textes qui méritent de survivre.

LE LIVRE DE POCHE

VOLUMES PARUS